SEM GENTILEZA

FUTHI NTSHINGILA

TRADUÇÃO
Hilton Lima

SEM GENTILEZA

5ª impressão

Porto Alegre • São Paulo
2021

Copyright © 2014 Futhi Ntshingila

CONSELHO EDITORIAL Gustavo Faraon, Julia Dantas e Rodrigo Rosp
CAPA Humberto Nunes
FOTO DA AUTORA Arquivo pessoal
PREPARAÇÃO Julia Dantas
REVISÃO Fernanda Lisbôa e Rodrigo Rosp

Dados Internacionais de Catalogação na Publicação (CIP)

N961s	Ntshingila, Futhi
	Sem gentileza / Futhi Ntshingila. — Porto Alegre : Dublinense, 2016.
	160 p. ; 21 cm.
	ISBN: 978-85-8318-079-1
	1. Literatura Sul-Africana. 2. Romances Sul-Africanos. I. Título.

CDD 896.3

Catalogação na fonte: Ginamara de Oliveira Lima (CRB 10/1204)

Todos os direitos desta edição
reservados à Editora Dublinense Ltda.

EDITORIAL
Av. Augusto Meyer, 163 sala 605
Auxiliadora — Porto Alegre — RS
contato@dublinense.com.br

COMERCIAL
(11) 4329-2676
(51) 3024-0787
comercial@dublinense.com.br

PARA AS CRIANÇAS QUE VIVEM ÀS
MARGENS DA SOCIEDADE E QUE
PASSAM POR DILEMAS COLOSSAIS.

AS SUAS VOZES SÃO IMPORTANTES.

1

Depois do funeral de Sipho, a situação de Mvelo e sua mãe Zola tornou-se gradativamente pior. Mvelo era jovem, mas sentia-se velha como um sapato gasto. Tinha quatorze anos, com a cabeça de uma mulher de quarenta. Havia parado de cantar. Para o bem de sua mãe, tentou ao máximo manter o otimismo, mas sentia a esperança escapar como um peixe de suas mãos. Elas já haviam passado por essa situação antes, quando uma pessoa no posto de pagamento da pensão decidira suspender seus benefícios sociais. Um dos benefícios era por Mvelo ser menor de idade, sustentada por uma mãe solteira de trinta e um anos. O outro era para Zola, devido à sua condição.

A ideia de não ter nenhum dinheiro para a comida, para a vida, deixou Mvelo louca. "Por que suspenderam as bolsas? Minha mãe ainda não tem condições de trabalhar", ela reclamou à funcionária, que tinha os olhos injetados e colocava comprimidos na boca como se fossem amendoins. Seus apliques malfeitos e sua maquiagem carregada davam--lhe a aparência de um homem vestido de mulher. Para todos na fila, era óbvio que a funcionária estava de ressaca.

"Hhabe, ndinido ngane do bo do hhayi, e eu lá vou saber? Você viu o que diz aqui: SUSPENSO. Vai ter que ir até Pretória, onde todos os seus documentos são processados. Agora, xô!", ela afastou a todos com um aceno. "É meu horário de almoço". A ideia da funcionária era tomar uma cerveja gelada para lidar com a ressaca.

Zola impediu a filha de tomar maiores satisfações com a mulher.

"Não adianta, Mvelo. Vamos pra casa. Vamos bolar alguma coisa". Era uma triste cena ver as duas. Zola era um vulto da sua antiga forma atlética. Sua figura longilínea a deixava com uma aparência ainda pior. As pessoas na fila fofocavam por trás das mãos, como de costume. A visão de alguém claramente doente parecia incitá-los a falar sobre o que era uma verdade inquestionável para muitas pessoas que lá aguardavam, mesmo que não fosse possível ver.

Mvelo e Zola tinham tomado dinheiro emprestado para o táxi até o posto de pagamento da pensão. Agora, teriam que caminhar. E debaixo do sufocante calor de Durban. As lágrimas quentes ardiam nos olhos de Mvelo, e o nó em sua garganta latejava. Ela bebeu água e saiu a navegar pela multidão até a estrada, para fazer o caminho de volta com sua frágil mãe. Foi aí que um improvável anjo se materializou na fila, na forma de maDlamini.

"Mvelo", ela chamou. Pelo menos dessa vez, Mvelo se sentiu feliz por responder o chamado de maDlamini. Quase teve um desmaio causado por uma combinação de alívio, fome e calor.

"Eles falaram que as nossas bolsas foram suspensas, e agora não temos dinheiro pra voltar pra casa", Mvelo disse. Lágrimas de raiva e desespero continuaram a correr em seu rosto. Em um tom carinhoso, maDlamini consolou as duas e ofereceu dinheiro para o táxi. A atenção que recebia dos espectadores na fila motivava seu ato de bondade.

Foi naquele dia, quando a bolsa de auxílio-doença da mãe foi suspensa, que Mvelo parou de pensar mais do que um dia por vez. Aos quatorze anos, aquela menina que antes adorava cantar e dar risada parou de ver o mundo em cores. E passou a vê-lo em tons cinzentos e opacos. Teria que pensar como adulta para manter sua mãe viva. Estava em meio à escuridão. Um dia, acordou e resolveu não ir mais à escola. Qual era o sentido? Assim que descobrissem que sua mãe não poderia mais pagar, iriam expulsá-la de lá de qualquer maneira.

Zola insistiu que deveriam ir à igreja, mesmo em seu momento de maior fraqueza. Estava frágil, fisicamente, mas a vontade de viver ainda não havia lhe abandonado. No entanto, ela não era exatamente convencional nos modos da igreja. Rezava de um jeito diferente das outras pessoas. Quando a situação ficava complicada, ela dizia: "Bom, o que eu posso dizer, Virgem Maria. Nós, os esquecidos, nós reviramos o lixo atrás de migalhas para aguentar o dia e aquietar o ronco no nosso estômago. Nós estamos armados com os antirretrovirais para encarar o incansável inimigo sem rosto que deixou muitos de nós sem nossas mães. Nós, os esquecidos, sabemos que segunda-feira é dia do lixo.

Nós saímos em peso nas manhãs de segunda para vasculhar os sacos pretos que guardam essa linha frágil entre a vida e a morte para nós. Procuramos por sobras para forrar nossos intestinos e protegê-los dos remédios corrosivos que precisamos tomar para não morrer e deixar órfãos para trás.

Avançamos com nossas mãos e não nos preocupamos com o cheiro de podre. As larvas exploram nossa carne morna enquanto cavoucamos o lixo para nos salvarmos, para que nossas crianças ganhem tempo. Vivemos das lixeiras dos ricos. Alguns deles vêm até o portão e nos oferecem sobras limpas, enquanto outros vêm para nos enxotar. Nós somos os esquecidos, somos os moradores dos barracos nas margens da sociedade, a desgraça dos subúrbios. Vamos de lixeira em lixeira na esperança de encontrar qualquer coisa que nos dê mais tempo".

Essa era a conversa de Zola com a mãe de Jesus ao final de um longo e abafado dia, enquanto ficava no meio do barraco que dividia com Mvelo lavando a louça em uma bacia de plástico azul brilhante. "Amanhã será outro dia para a gente", ela dizia, trocando Maria por Mvelo.

Às vezes, Mvelo queria apenas que sua mãe fosse normal e que dissesse "Senhor" no começo e "Amém" no fim, como fazem outras pessoas. Mas Mvelo e sua mãe não eram normais. Ela logo chegou a essa conclusão.

Mvelo sentia pena de Maria quando sua mãe rezava. Zola não acreditava na linguagem empolada que a maioria dos religiosos utilizavam. Ela ia direto ao assunto que tinha em mente. Era como Jacó, aquele antigo homem da Bíblia que lutou com Deus a noite inteira.

Nessa época, ela já não estava mais forte, fisicamente. Até mesmo o vento poderia derrubá-la. Mas sua determinação interior era de aço. Sua fortaleza interior poderia amansar leões e transformá-los em gatinhos manhosos.

Toda noite, depois de tomar os antirretrovirais que apanhara na clínica, Zola deitava-se às vinte horas em ponto no colchão de solteiro que ambas dividiam, um colchão de espuma apoiado por tijolos. Mvelo escutava sua mãe sonhar alto sobre o desejo de um dia ver a filha se tornar uma cantora. Havia um olhar distante em seu rosto. Sob a luz das velas, Mvelo via os olhos da mãe brilharem com o sonho de alcançar o céu por meio de sua filha. Elas caíam no sono, embaladas pelas vozes dos vizinhos bêbados que cantavam, riam, praguejavam ou brigavam, conforme seu estado de espírito os conduzia.

O desespero de Zola era particularmente intenso nos dias em que retornava dos bicos que fazia sem trazer comida para a janta. Mesmo quando Mvelo tentava confortá-la, dizendo que não estava com fome, Zola não conseguia parar de se culpar. Sua tristeza era muito grande naqueles dias, e o abatimento que sentia era transmitido a Mvelo, que se via tragada para as trevas do ânimo de sua mãe.

Mas, no dia seguinte, começariam de novo, com os sinais da vida pulsando mais uma vez ao seu redor.

Houve um dia em que as duas acordaram com o burburinho de uma nova igreja itinerante que foi montada perto da favela. Alto-falantes e microfones eram testados em preparação para uma semana de avivamento. Zola ficou entusiasmada, pois achou que talvez um dos líderes da igreja descobriria a voz de sua filha e tentaria cultivar seu talento. "Puxe os refrãos e dê tudo de si. Não se acanhe, solte a voz como se a sua vida dependesse disso". Esse era o treinamento que passava à Mvelo antes dos cultos. Ela só se juntaria a eles depois das oito, pois antes precisava tomar os antirretrovirais. Mvelo fez o que sua mãe pediu e, cada vez que cantava, podia sentir uma elétrica agitação na tenda da igreja.

Os líderes começaram a fazer perguntas sobre aquela garota que tinha dom para o canto. As respostas sempre vinham sob a forma de sussurros. "É a filha da Zola. Sim, aquela que está com a doença das quatro letras". A lábia de maDlamini entrava em cena para quem quisesse ouvir sobre os sofrimentos que as duas passavam nos barracos.

Além de insistir a Mvelo que frequentasse a igreja todo domingo, Zola também pressionou para que ela voltasse a fazer os testes de virgindade. Quando sua filha se recusou, ela implorou: "Mvelo, sei que você não está fazendo nada de errado com os rapazes, mas eu quero que você vá, pela minha paz de espírito". Muitas mães incentivavam suas filhas a seguir esse caminho para se assegurarem de que não eram vítimas silenciosas do abuso sexual.

Mvelo cedeu e foi às excursões de teste, mas por questão de sobrevivência. Conseguiu voltar para a casa com muita comida escondida em sacos plásticos, que ela recolheu e guardou para Zola. Apesar de não ter o bastante para se alimentar, estava crescendo e começava a ter a aparência de uma mulher. Tinha as curvas nos lugares certos e era alta, embora não tão alta quanto a sua mãe. Aquela flor selvagem, sem a nutrição adequada, cresceu regada pelas chuvas e aquecida pelos raios do sol.

A tosse crônica de Zola piorou, principalmente à noite. Às vezes, em meio à escuridão, Mvelo ouvia sua mãe chorar silenciosamente. Aqueles momentos também eram acompanhados por outros sons desoladores: um cão solitário que uivava, vendo espíritos atormentados caminhar, ou os grilos chamando e os sapos respondendo com o estranho coaxar dos pântanos. O pior de tudo eram os mosquitos, que choramingavam pelo sangue de ambas, rodeando-as como urubus. Os únicos sons noturnos que traziam a luz da esperança para Mvelo eram os galos cantando, que anunciavam a chegada da manhã. A luta contra a noite finalmente terminava. Viveriam para ver um novo dia.

A primeira vez que descobriram que Mvelo tinha o dom para a música foi quando foram à igreja depois que o resultado do exame de Zola deu positivo. Dormiram muito mal na noite anterior, pois Zola estava com dificuldade de respirar, e ambas despertavam durante o sono. Mvelo teve que tatear pela sua mãe no escuro para dar de beber a ela. Já não tinham mais velas suficientes. Com a ajuda do luar que entrava pelas rachaduras na parede do barraco, Mvelo encontrou a bolsa de comprimidos de Zola e deu paracetamol para aliviar a dor da sua mãe.

Quando os galos cantaram, anunciando o alvorecer de um novo dia, Mvelo agradeceu pela luz matinal. Levantaram-se e foram para a igreja, onde ela cantava como se adentrasse o paraíso. Quando ela cantava, não sentia medo algum. Viajava para um mundo onde não havia doença. Cantava para se livrar do barraco frio e úmido que chamavam de lar, cantava para se livrar da fome, da enfermidade e das dores de Zola.

Com a pele formigando, os olhos fechados, ela trouxe Deus à igreja com seu canto. Quando voltou a si, percebeu que estava cantando sozinha, sob o olhar fixo da congregação e o brilho no rosto de Zola.

"Você já não estava mais conosco quando cantou daquele jeito. Eu senti um frio na espinha. Eu juro que Deus estava entre nós. Qual a sensação de cantar daquele jeito?", Zola perguntou à filha. A única explicação que Mvelo conseguiu dar foi de que se sentia como se estivesse em transe.

"Vi um arco-íris de cores vivas piscar na frente dos meus olhos. Quando voltei a mim, me senti livre e feliz".

No caminho de casa, Zola parou em um spaza e usou o último dinheiro que tinha para comprar um pacote de Oreo. Eram seus biscoitos favoritos. Sipho, o homem que estivera na sua vida durante treze anos, costumava comprá-los seguidamente nos tempos felizes do casal. Zola e Mvelo seguiram em direção ao barraco, onde se sentaram do lado de fora, mergulhando os biscoitos em seus chás. Em silêncio, comeram a massa marrom recheada de creme branco, saboreando sua doçura, e Mvelo percebeu que o pensamento de sua mãe estava longe dali, relembrando os dias de fartura na casa de Sipho.

Zola ria suavemente, enquanto recordava uma de suas engraçadas anedotas. "Você se lembra da Khanyisile, minha amiga que trabalhava no bar da Skwiza? Foi mais ou menos na época em que as antigas escolas brancas começaram a aceitar crianças negras". Ela apertou o nariz para zombar dos sotaques das alunas que frequentavam as escolas Modelo C.

"Acho que chamavam Khanyisile assim porque ela tinha a pele muito clara. Mas, enfim, a vizinha da Skwiza, Dudu, aquela que casou com um policial que fazia dela saco de pancada, convidou Khanyisile pra ser dama de honra, e lá fomos nós pro salão, pra arrumar o cabelo dela e alisar a lã de aço daqueles cachos retorcidos.

A Khanyisile se sentou em uma daquelas cadeiras pretas de couro com rodas, com a cabeça inclinada pra trás na bacia pra lavar o cabelo, antes de fazer o longo processo até chegar ao efeito desejado.

A mulher na cadeira ao lado estava fazendo longas tranças no cabelo. Estava súper bem-vestida, com botas vermelhas de arrasar, uma calça justa preta e uma blusa creme com um decote escandaloso. A mulher que fazia o penteado dela tinha um cabelo curto comum, e a pele era de um tom escuro que ia fazer a polícia pedir a ela documento de identidade para provar que não era imigrante ilegal. Ela trabalhava no cabelo tranquilamente, como uma profissional de verdade, primeiro separando e depois fixando as longas e sedosas mechas no cabelo da mulher com uma agulha que parecia uma arma. Um erro, e a cliente poderia ficar com dano cerebral irreversível.

Aplicaram vaselina na testa da Khanyisile para protegê-la da queimação dos produtos químicos. Aquela coisa branca de cheiro ruim foi aplicada no cabelo dela em partes, e aí ela esperou até o produto desbastar os cachos. Dava pra sentir uma sensação de ardência, de coceira, quando o produto começava a agir. Depois de uns minutos, ela fez o sinal pra cabeleireira que a queimação tinha começado.

Duas adolescentes entraram no salão, tagarelando em voz alta com seus novos sotaques. Disseram que iam ao aniversário de dezoito anos de uma colega de classe e que queriam *abalar* e *dar um show* na ocasião. Pediram para a cabeleireira fazer uns retoques nas maçarocas oxigenadas delas, que deveriam ser cabelo loiro".

Zola tentou imitar o sotaque delas e Mvelo também começou a rir. Ela derramou chá quente no colo, deu um pulo, e as duas explodiram em gargalhadas mais uma vez.

Elas enxugaram as lágrimas que brotaram das fortes risadas, e Zola continuou a história. "Aí, elas disseram que as raízes pretas estavam crescendo e que não queriam ficar que nem um par de guaxinins na festa. A mulher que estava fazendo apliques do lado da Khanyisile não conseguiu segurar o asco pelo o que ela chamava de a brigada do nariz. 'Essas Oreos fajutas de coleginho Modelo C. Entram aqui falando pelo nariz'. Um silêncio constrangedor tomou conta enquanto nós assistimos à mulher resmungar na frente das adolescentes. Enquanto isso, metade da cabeça dela tinha um cabelo longo e sedoso, importado da Coreia, e a outra metade tinha o seu cabelo curto e tratado com produtos químicos.

Surgiram gotinhas de suor no rosto dela, de tanto resmungar. Quando olhei mais perto, vi que essa mulher metida a africana verdadeira tinha um rosto que era muito mais claro que as mãos e as orelhas. Era óbvio que clareava a pele.

As Oreos não deram bola para a mulher. Ficaram mastigando chiclete de um jeito atrevido e esperaram sua vez.

Naquela hora, tinha gente escondendo o riso por todo o salão. Quando saímos de lá, caímos na gargalhada. Olhei para Khanyisile com o cabelo pronto e disse 'Isso me deu vontade de comer Oreo'".

Mvelo adorou ver sua mãe rir — o que não acontecia mais com a mesma frequência, agora que ela vivia pensativa e preocupada.

2

No último dia do avivamento, o Reverendo Nhlengethwa pediu a Mvelo que fosse para uma sala aos fundos. Disse que precisava rezar por ela e fortalecê-la com o espírito santo, para que seu dom pudesse aflorar. Na privacidade de sua sacristia improvisada, leu passagens da Bíblia, colocou a mão na cabeça de Mvelo e rezou. Então, ele a abraçou carinhosamente. Seu gesto gentil a fez lembrar de Sipho, a única figura paterna que conhecera. O gesto trouxe de volta toda a dor que ela precisou suportar durante os dois últimos anos. Era um alívio ser abraçada. Ela deixou sua cabeça repousar em seu amplo peito, um sinal que ele interpretou como consentimento. O que veio depois foi como um pesadelo.

As mãos dele foram ágeis, encontrando logo o que queriam. Lançou-se sobre ela de uma forma desenfreada e brutal, estilhaçando o seu mundo de ilusões. Seu olhar e sua inocência haviam desaparecido. Deflorada e destruída. Pensar na mulher que verificaria sua virgindade e a olharia com repulsa a distraiu da dor ardente que sentia entre as pernas.

Imaginou um olhar de decepção, vergonha e desamparo vindo de Zola, enquanto o Reverendo Nhlengethwa se erguia sobre ela com um olhar de satisfação no momento em que se arrumava. Tinha o sorriso malicioso de um homem contente com os seus atos e não disse uma palavra sequer. Um fio da cor da vida deixou Mvelo pelas coxas até cair no assoalho. Um iceberg se formou em seu peito, congelando suas lágrimas e seu coração.

Ela deitara a cabeça em seu corpo e, quando ele passou de protetor para predador, o choque a paralisou. Sua alma aninhou-se em uma concha no seu seio. Na sua mente, apagou o predador de sua vida e lançou relâmpagos sobre ele para sugar toda sua força vital, transformando-o num espantalho inerte e ressecado pairando sobre as plantações.

Ela ajeitou suas roupas, limpou o sangue entre as pernas e foi para casa sem dizer nada. Foi colocando um pé na frente do outro até chegar a seu barraco, onde Zola a esperava com um rosto que faiscava esperança. Não poderia dizer à sua mãe o que tinha acontecido. Isso a mataria. Ela já estava frágil demais. "Ele acha que você vai fazer sucesso na música gospel?". "Vai te colocar em contato com a Rebecca Malope?". "Ele...?".

As lágrimas de Mvelo a interromperam. Uma torrente brotou dentro dela, pois a razão de viver de sua mãe havia sido esmagada e pisoteada. Pelas suas lágrimas, Mvelo pôde ver o rosto da mãe murchar e envelhecer, passando de trinta e um para oitenta anos de idade.

Chorou pela sua mãe mais do que pela sua própria dor. Queria esquecer o que acontecera. Precisava de força para cuidar da mãe doente e levá-la até a sepultura com dignidade. Assim, ela sorriu entre as lágrimas, reunindo toda a coragem que não tinha. "Não, ele só rezou por mim. Foi só isso que ele fez. A igreja vai pra outra cidade", disse.

As duas dormiram em silêncio, uma nos braços da outra. Era só o que lhes restava.

Depois da igreja itinerante, Zola perdeu sua capacidade de falar. Não tinha energia para tal. Fazia apenas horríveis ruídos de dor, que vinham sob a forma de pequenos uivos. Mvelo podia sentir sua mãe respirar com dificuldade a cada sopro. Era um trabalho duro, que a deixava encharcada de suor apenas ao inspirar e soltar o ar. Os olhos, embora estivessem encovados, ainda guardavam um brilho quando Zola olhava para a filha, sua única razão de viver.

Desde que a igreja foi embora, Mvelo tentara, mas havia perdido a esperança. Estava fechada e mais triste que o cheiro de cera e de vela queimada. O cheiro da pobreza. Um cheiro que penetrava cada peça de roupa e cada barraco nos espaços de moradia informal. Mvelo escondeu de Zola a história sórdida pela qual passou, mas uma mãe perto da morte é sensitiva. Sabia que algo terrível e feroz havia tocado a alma de sua filha.

Vieram de uma casa de alvenaria para esse lugar. Mvelo chorou, pensando mais uma vez no calor e na segurança que sentia na casa de Sipho, o que parecia ter sido há um longo tempo. Neste lugar esquecido, as garotas não podiam brincar ao sol, jogando água umas nas outras só com a roupa de baixo. À noite, tinham que dormir com um olho aberto e o outro fechado. A qualquer instante, a rudimentar porta de papelão poderia ser derrubada com um pontapé pelos monstros da noite que, como vampiros, temiam a luz do dia.

Tios. Perdia-se a conta das amigas de Mvelo que se tornaram suas vítimas. Eles vieram e foram embora deixando para trás vidas arruinadas e corações partidos. Faziam as vezes de namorados para as mães solteiras que passavam por dificuldades e que nunca aprendiam; brincar de casinha e fazer o papel de pai dos filhos dos outros os entediava. Lobos em pele de cordeiro, voltavam-se às filhas, causando dano físico e uma vida inteira de cicatrizes mentais. Mvelo foi uma das que tiveram sorte. Pôde pelo menos contar com Sipho para ser um pai. Ainda que ele a tivesse decepcionado, jamais abusou dela. Mas foi por meio de muitas de suas amigas e colegas de escola que aprendeu a tomar cuidado com homens que diziam ser tios. Podiam ser perigosos.

Com esses pensamentos martelando sua cabeça, houve um dia em que Mvelo não aguentou mais. Simplesmente desistiu da ilusão de ver sua mãe melhorar e resolveu parar de dar os comprimidos a ela. Apertou sua mãe forte e disse: "Mãe, você não está melhorando, e não temos comida que ajude os comprimidos a fazerem efeito. É muito sofrimento. Eu tenho que te deixar e peço pra que você descanse". Ela falou como uma mulher que vivera muitos anos. Não sabia de onde viera aquilo.

Zola tentou se apoiar sobre o cotovelo e olhou a filha nos olhos. "Mvelo", disse, "eu sei que alguma coisa aconteceu com você no último dia da igreja. Estou vendo que sua barriga cresceu e que seus seios estão escurecidos e com estrias. Me prometa que você não vai fazer nada que machuque essa vida que está crescendo dentro de você. É uma vida inocente. E eu vou te deixar com uma condição: você tem que me prometer que não deixará que eles me ponham em uma caixa. Aconteça o que acontecer, me enrole em um lençol e me mande pra Deus, mas não deixe que me coloquem em uma caixa". Seus dedos magros espetavam o pulso da filha. Mvelo fez a promessa, mesmo que não soubesse como faria para cumpri-la.

Zola sempre teve medo de lugares fechados. Sabia que estava sendo egoísta ao colocar esse fardo nos ombros da filha, pedindo para que levasse a cabo uma promessa tão difícil. Nenhuma das duas derramou lágrimas. Para isso, era preciso uma energia que já não tinham mais. Dormiram naquela noite sem maiores perturbações.

Mvelo estava convencida de que, ao acordar, Zola já teria partido. Mas não era para ser assim, sua mãe ainda respirava com dificuldade quando Mvelo acordou de manhã. Não sabia se deveria se sentir feliz ou triste.

Era segunda-feira, e Mvelo havia saído para surrupiar as lixeiras nos subúrbios. De casa em casa, procurava por qualquer coisa: garrafas de vidro para vender, pão ressecado para sua mãe. Pegava qualquer coisa que representasse sobrevivência. Ao contrário de outros pedintes, ela nunca tocou a campainha ou tentou fazer contato. Queria apenas o lixo. Não queria a piedade deles.

Zola aguentou por meses depois que Mvelo parou de dar-lhe os comprimidos.

O elefante dentro do barraco, a barriga de Mvelo, ficou maior, revelando a verdade por trás daquela noite cruel na igreja.

Então, em uma certa noite, a própria Mvelo foi atacada por uma febre que a fez delirar. Os vizinhos encontraram ambas no dia seguinte. Zola, inconsciente sobre uma poça do sangue que tossiu durante a noite. E Mvelo, delirando em um rio de suor formado pela febre. Zola não resistiu. Os médicos disseram que ela morreu de subnutrição e de complicações da aids.

No hospital, quando a médica viu que Mvelo carregava uma vida, seus olhos a julgaram. Ela contou friamente a novidade que Mvelo já sabia.

Depois de ouvir as duras palavras da médica, Mvelo caiu no sono. Sonhou que era perseguida por um monstro. Estava apavorada, até que se lembrou que tinha uma lanterna no bolso. Ela parou e enfrentou a criatura, colocando a luz sobre ela. Suas ações eram tranquilas e calculadas. Disse a si mesma que iria iluminar o monstro até roubar o seu poder. Ele foi pego de surpresa. Agora, ela já não era mais a caça. Era a caçadora.

O monstro deu um grito de pavor e tentou correr na direção oposta, longe da luz. Mvelo sentiu pena da criatura, que agora soluçava ao ser dominada por ela.

As pilhas da lanterna estavam ficando fracas, assim como o monstro na sua frente. Olhou ao redor e percebeu que tudo estava quieto. O único som era a batida de seu coração.

Quando acordou, sabia que não seria mais uma presa fácil. O que quer que ela decidisse fazer com o seu bebê, seria decisão sua. E, de um jeito ou de outro, levaria adiante o desejo de sua mãe de não ser enterrada em uma caixa.

3

Mvelo encontrou a pessoa perfeita para ajudá-la na missão de livrar Zola do caixão. Ela recorreu a Cleanman Ndlovu, um zimbabuense de dreads que morava na favela, próximo a Mvelo e sua mãe. No Zimbábue, tinha sido professor. Ao contrário da maioria dos refugiados, Cleanman veio para a África do Sul no início da década de 90, tentando fugir das suas próprias aflições e encontrando apenas hostilidade nas cidades. Até que chegou à favela, onde era possível se perder em meio a toda aquela gente lutando pela sobrevivência. Nesses barracos, ao contrário de certos lugares, ninguém incomodava os outros por suas origens.

Além disso, por ter um sobrenome como Ndlovu, e o Ndebele sendo sua língua materna, não chamou atenção. Na verdade, ele se encaixava mais naquele lugar do que os Xhosas e os Basothos que se mudaram para Durban em busca de uma vida melhor. Era o seu primeiro nome, Cleanman, que era motivo de chacota. Costumava ajudar Mvelo com o dever de casa antes de ela ter saído da escola.

Guardava dentro de si os terrores da guerra e segredos que eram incomunicáveis. Mvelo falou-lhe sobre o pedido de Zola e a promessa que fez para a sua mãe. "Mas, minha jovem", ele disse, "isso é ilegal. As leis do município não permitem uma coisa dessas".

"E daí, Cleanman?", Mvelo se exasperou. "E daí que as leis dizem outra coisa? Olhe onde nós moramos. Nós não temos nada. São mil pessoas dividindo seis banheiros. Por favor", ela suplicou entre lágrimas, "você tem que me ajudar".

Ele não aguentava ver choro. Foi embora sem dar uma resposta, mas ela sabia que ele iria ajudá-la. Ele compreenderia que manter um corpo confinado em uma caixa não é natural.

Cleanman adorava poemas e começou a ler em voz alta uma poesia de um homem chamado Dylan Thomas no velório de Zola. "Vá sem gentileza nesta escuridão sadia / A velhice deve arder e rugir ao sol poente/ Raiva, raiva contra o fim da luz que se irradia".

Mas foi interrompido por maDlamini, a falastrona de Mkhumbane. "Wena, Cleanman", disse, "uZola não era velha, e não era homem. Vá se sentar e pare com essa bobajada de inglês!".

Ela continuou falando, mas sua voz foi abafada por um coro. As mulheres começaram a cantar para disfarçar a discussão. Era hábito das mulheres — parte de suas virtudes sociais e de seu senso de ponderação — cobrir qualquer forma de vergonha ou humilhação pública. Cleanman parecia triste e constrangido, mas não discutiu. Não tinha por hábito dar fiascos em público ou ter ataques. Simplesmente fechou o livro grosso que carregava, um livro com orelhas nos cantos das páginas, que já havia passado por dias melhores.

Zola teve um lindo velório. Durante toda a noite de sexta, o barraco recebeu visitas. Seu corpo foi trazido de volta da funerária em um caixão simples, comprado pelos vizinhos com doações recolhidas na região. Ninguém deu ouvidos a Mvelo quando ela disse que Zola não queria um caixão. Olharam para ela com aqueles olhos de quem diz "Coitada dessa menina. Órfã e grávida aos quatorze anos. Que bom que não sou ela".

Sua voz voltou na despedida de Zola. Cantou para afastar o medo que sentia pela vida crescendo em sua barriga, cantou para afastar o pavor de ter que tirar Zola da sepultura, cantou para afastar o difícil caminho que precisaria percorrer, como uma órfã solitária. Cantou até se sentir aquecida por dentro, como se fosse pintada por um cálido tom de laranja. Abriu os olhos e Cleanman estava ao seu lado. "Bem-vinda de volta, minha jovem. A alma está de volta em seus olhos. É bom ver isso", sussurrou. Ela também se sentiu aliviada ao se despedir de Zola. Sentiu-se livre e teve certeza de que as pessoas que ficaram para o velório tinham aproveitado o momento. Elas cantaram, e cada uma trouxe recordações de Zola.

Uma mulher de um dos casarões das redondezas veio e trouxe um pote de breyani. Parecia nervosa de estar na favela, mas estava determinada a falar. Ela se levantou e disse algumas palavras sobre Zola, que lavava sua roupa antes de ter ficado fraca demais para trabalhar. "Zola é alguém de quem eu nunca vou me esquecer, porque abençoou minha casa com um presente que vou guardar para sempre na minha memória. Sunil, meu único filho, não falava. Os médicos achavam que ele era autista. Ficava com um olhar fixo no horizonte e, às vezes, batia a cabeça e gritava.

Quando Zola veio trabalhar na nossa casa, ele estava sempre com ela. Um dia, encontrei os dois sentados, conversando. Eles desenvolveram uma língua própria. Ela me disse que achava que tinha a fala presa dentro dele. Hoje, é um menino feliz que está indo bem na escola. Quando fiquei sabendo da morte dela, quis vir até aqui para prestar minhas homenagens". A intenção da Sra. Naidoo era deixar o breyani, dizer algumas palavras e sair da favela o mais rápido possível, mas o clima do local a manteve lá durante o velório.

Na sua morte, Zola havia unido pessoas, independentemente das posições sociais que ocupavam. Os vizinhos usaram latas, tijolos e engradados de cerveja como bancos improvisados para se sentarem em frente ao barraco onde foi realizado o velório.

A enfermeira de uma clínica de onde Zola havia sido banida também veio prestar suas homenagens. Mvelo viu a mulher na multidão. Achou que ela foi corajosa por ter dado as caras depois da forma como havia tratado Zola. "Foi por minha causa que ela foi banida da clínica", a enfermeira admitiu.

"Fico morrendo de vergonha quando penso nisso agora. Eu mesma sou soropositiva, e nunca aceitei isso, por causa da minha própria estupidez, por eu ter confiado em um homem que eu não deveria.

Quando descobri que eu era soropositiva, fiquei muito braba e descontei nos meus pacientes. A maioria não reagia à minha grosseria. Mas Zola revidou quando eu a desrespeitei. Foi minha culpa, e quero pedir, na frente da sua filha, desculpas. Eu deveria ter sido mais compreensiva".

A enfermeira começou a se emocionar. Então, as mulheres voltaram a cantar.

Pessoas que Mvelo nunca tinha visto antes se levantaram e falaram sobre Zola. Era uma linda noite. A lua esteve vermelha num primeiro momento, com o sol se escondendo por trás dela, ficando prateada mais tarde quando finalmente assumiu o comando dos céus. A maioria dos vizinhos se desculpou pelas fofocas. "Bantu bomphakathi, você me conhece... eu gosto de conversar. Hoje, quando eu vejo você usar as escrituras pra recriminar essa gente faladeira, eu me arrependo. Peço para você me perdoar", maDlamini disse.

Um bêbado gritou "Ya, Mamgobhozi wendawo", e as pessoas riram, interrompendo ruidosamente o seu discurso. As risadas incentivaram o bêbado a falar mais alto, "umaDlamini, uNdabazabantu, Assuntos Internos, Ugesi waseLamonti. Ela fica sabendo de tudo que acontece nesses barracos".

Outra canção veio para abafar os comentários pouco lisonjeiros do bêbado. "Ai, eu sou só uma velha entediada", disse maDlamini. "Sei que Zola vai me perdoar, que Deus guarde sua alma".

Cleanman olhou para Mvelo e assentiu com a cabeça. Eles tinham um plano. Marcaram a sepultura de Zola e voltariam à noite para tirar o caixão da terra e libertá-la no solo, conforme a vontade da natureza. Seu caixão era simples, e Cleanman observou atentamente como ele abria e fechava durante a exibição do corpo.

Zola tinha dado detalhes sobre o que desejava que fosse feito quando morresse. Pediu a Skwiza, sua única parente consanguínea viva além de Mvelo, para que lesse o que havia escrito. Ela usava uma roupa que envolvia firmemente as curvas que a idade amaciou, tinha as sobrancelhas pintadas como as de um palhaço — como certas mulheres fazem —, os lábios de um vermelho intenso, e exalava um perfume que poderia ser sentido por toda Durban. Skwiza levantou-se, ignorando as risadinhas dos enlutados. Foi perfeita em seu discurso, com gestos corretos e pausas para ênfase quando necessárias.

"É minha vontade", Zola escreveu, "que as pessoas saibam que eu morri de aids. Não foi uma doença longa ou curta que, segundo nos falam, mata a maioria das celebridades. Nem pneumonia, nem tuberculose, nem insanidade, nem feitiçaria, mas sim aids. Este é o meu presente a todas as pessoas que espalham fofocas em uMkhumbane. Dou permissão para que vocês fofoquem em alto e bom som, não em sussurros. Digam a qualquer pessoa que queira saber que eu vivi positivamente com HIV, e que eu morri de aids. Digam a elas que vocês ouviram direto da fonte".

Ela pediu a Mvelo para que lesse sua passagem favorita da Bíblia, de Coríntios. "Ainda que eu falasse línguas, as dos homens e dos anjos, se eu não tivesse o amor, seria como sino ruidoso. Ainda que eu tivesse toda a fé, a ponto de transportar montanhas, se não tivesse o amor, eu não seria nada... Agora, portanto, permanecem estas três coisas: a fé, a esperança e o amor", Mvelo encerrou. "O maior destes é o amor".

Mvelo olhou o rosto de sua mãe no caixão. Era plácido. Jamais poderia dizer uma palavra a ela novamente. Imaginou que, se a sua mãe pudesse lhe dizer uma última coisa, seria "Cante, Mvelo. Você nasceu para cantar". E assim ela fez.

4

Mvelo não sabia que o movimento nos cemitérios era maior na calada da noite. Quando Cleanman e ela saíram para tirar Zola do caixão, a polícia estava perseguindo e prendendo ladrões de túmulos que roubavam os caixões caros para revendê-los a quem estivesse de luto. Os disparos soavam nos ouvidos de Mvelo. Sentiu-se apavorada e sem ar debaixo das axilas suadas de Cleanman enquanto ele a protegia. Ela se recusou, teimosamente, em ficar para trás e deixar que ele fizesse o trabalho sozinho. Caminhou num gingado ditado pela sua gravidez. Agora, Cleanman estava em cima dela, tentando protegê-la dos tiros. Mvelo não conseguia respirar nem se mexer.

E então, de repente, tudo voltou a ser como deveria ser num cemitério: um silêncio sepulcral.

Mas o silêncio não trouxe nenhum alívio a ela. Em vez disso, houve uma sensação de desgraça iminente. Ela se contorceu para tirar o nariz do sovaco de Cleanman. O corpo dele começava a ficar mais pesado sobre ela. Roncou suavemente no ouvido dela, um som que seria tranquilizador e reconfortante em circunstâncias normais, mas que, agora, nas entranhas da noite e em um cemitério, passava a mensagem de que ela estava totalmente só.

Os roncos de Cleanman causaram-lhe um ataque de histeria, e ela começou a rir incontrolavelmente. A agitação de seu corpo fez com que ele acordasse sobressaltado, colocando-se de prontidão, como um guarda que é pego tirando um cochilo. Ela o empurrou. "Acho que já foram embora", disse. Cleanman havia bebido vodca para fortalecer seus nervos para a tarefa, o que o fez ficar sonolento em vez de corajoso.

Mas Mvelo estava errada. Os ladrões de túmulos haviam ido embora, mas os policiais continuavam patrulhando a área. Viram os dois assim que Cleanman continuou a cavar o túmulo de Zola. "Hheyi, tem mais alguns. Olha lá", disse um policial chamando reforços. Cleanman sabia que era tarde demais para correr ou tentar fazer algo. Assim largou a pá e ergueu as mãos para se render. O efeito da vodca diminuiu, e ele encarou a realidade. Estava na merda. Era imigrante ilegal. Mvelo estava se sentindo desamparada e atormentada pela culpa. Era ela quem tinha colocado Cleanman nessa encrenca. Ele rezou fervorosamente para que não descobrissem que não era sul-africano. "A culpa foi minha", ela disse aos policiais, que ficaram chocados ao encontrar uma jovem grávida em um cemitério naquela hora profana.

Ela contou a eles toda a história do pedido de Zola. Cleanman, sendo Ndbele e tendo o sobrenome Ndlovu, falou uma forma de zulu considerada adequada, similar aos dialetos das regiões ao norte da província de KwaZulu-Natal. Ele perguntou aos policiais: "Que tipo de homem eu seria se não pudesse ajudar uma garota desesperada como Mvelo?". O respeito que demonstrou pelos policiais fez com que eles se sentissem lisonjeados e tranquilizados. Ele até mesmo os convenceu de que na cultura africana legítima, "nós realmente não devemos ser enterrados em caixões". Ganhou confiança quando viu que os policiais concordavam e seguiu, explicando que o negócio de venda de caixões era uma extensão do capitalismo, um esquema para gerar dinheiro.

"Agora mesmo, meus irmãos, vocês estavam no meio de um tiroteio com os donos dessas casas funerárias que fazem uma fortuna vendendo caixões e que depois vêm aqui desencavar esses mesmos caixões para revendê-los". Os policiais murmuravam em conformidade.

Coincidentemente, dois dos três policiais tinham o mesmo sobrenome de Cleanman. Ao saber disso, Cleanman começou a cantar uma canção de louvor do clã Ndlovu, entoando todos os izithakazelo, os nomes de louvor dos Ndlovus — Oboya benyathi, oGatsheni —, o que causou uma grande impressão nos homens. Naturalmente, ele deu a eles o seu verdadeiro nome Ndebele, Nkosana Ndlovu, em vez de Cleanman. Do contrário, saberiam rapidamente que ele era de Zimbábue. Se perceberam algo em seu sotaque, devem ter atribuído isso às zonas rurais de KwaZulu.

Cleanman tirou a garrafinha de vodca que tinha no bolso. Tomou um gole e ofereceu aos policiais. Mvelo sabia que ele já havia conquistado a simpatia dos guardas, mas achou que ele estava exagerando um pouco quando pediu que lhe ajudassem a realizar o último desejo de Zola, auxiliando-o na conclusão do trabalho. Ficou surpresa quando um dos policiais foi até a casa do coveiro e voltou de lá carregando três pás. O trabalho demorou apenas uma hora para ser concluído.

O humilde caixão onde Zola fora enterrada foi destapado. Houve um silêncio. Cleanman olhou para Mvelo e disse,

"Minha jovem, é melhor você ir dar uma volta. Não quero que você veja isso. Confie em mim, vou enrolar sua mãe nesse cobertor e mandá-la de volta para Deus", Mvelo ficou aliviada, porque não queria olhar.

A lua estava alta e as estrelas brilhavam. Mvelo estava em paz consigo e sentiu que o que acabara de acontecer teve a ajuda de Zola.

Quando o trabalho foi finalizado, Cleanman a chamou de volta. "Você nunca viu a gente, a gente nunca viu você. O que se passou aqui nunca aconteceu", disse o policial que não fazia parte do clã Ndlovu, lançando um olhar austero para Mvelo.

"O que aconteceu aqui?", perguntou Cleanman. Os outros dois começaram a rir. Então, trocaram apertos de mãos e foram embora.

Mvelo e Cleanman sentaram-se no monte sobre o túmulo de Zola, onde ela estava agora enrolada em um cobertor, e fizeram uma última prece.

No alvorecer, voltaram para a casa, ambos absortos em seus próprios pensamentos. O bebê chutava sua barriga, lembrando-a da batalha que estava por vir. Talvez por toda a agitação de ter que cavar a sepultura da sua mãe, sentiu na noite seguinte uma dor que a fez caminhar pelos quatro cantos do seu solitário barraco até o amanhecer.

Quando Cleanman foi ver como ela estava de manhã, não precisou perguntar. Podia ver suas lágrimas. Saiu correndo para buscar o carrinho de mão, colocou-a sobre ele e foi até um ponto de táxi. Mas foi uma van da polícia que patrulhava a vizinhança que acabou levando-a ao Hospital King Edward. As sirenes soaram por todo o caminho, da favela a François Road. Se quiser ver um marmanjo assustado, mostre a ele uma mulher grávida prestes a dar à luz, sem ninguém por perto para ajudá-la. Cleanman estava tremendo e não conseguia falar. O policial dirigindo a van colocou todo o seu peso no acelerador, e o veículo passou voando pelos sinais vermelhos.

O bebê era a última coisa que Mvelo queria, mas ele veio, e sua presença foi sentida. Depois dos ensurdecedores gritos de dor de Mvelo, Sabekile veio ao mundo para abrir seu próprio berreiro.

Mvelo soube naquele momento que ela havia herdado os seus pulmões. A enfermeira puxou as perninhas que chutavam e, com uma mão, colocou o corpo viscoso dela de ponta-cabeça por um instante e então pôs seu dedo roliço na boca de Sabekile para tirar o que havia lá dentro.

Mvelo olhou o cordão umbilical que parecia uma serpente ligando seu bebê a ela. As sórdidas memórias daquele dia na igreja voltaram a atormentá-la. Tentou não olhar para o bebê, com a vida fervilhando em seus poros, coberto por muco branco e pelo sangue de Mvelo. A enfermeira cortou o cordão e envolveu a criança em um cobertor. Mvelo caiu no sono, exausta e aliviada pelo bebê ter deixado o seu corpo.

Acordou em pânico, pensando no que iria fazer com sua filha, pois estava determinada a não sujeitá-la à vida na favela. Então, lembrou-se do sonho que teve quando sua mãe morreu e se acalmou. Tudo iria dar certo.

No dia em que a informaram que deveria partir do hospital com o bebê, Mvelo foi a Manor Gardens e deixou Sabekile na porta da frente de uma casa sem muros. Pelo menos lá ela sabia que Sabekile teria uma chance de vencer.

Tinha escolhido esta casa porque os donos nunca a enxotavam quando ela vinha procurar por sucata. Era a única casa que tinha visto em Manor Gardens sem um muro alto. Era vulnerável e ao mesmo tempo protegida, pois os tsotsis achavam que havia algo invisível e ainda mais perigoso vigiando o lugar. Assim, não se arriscavam.

"Ok, Deus", ela disse, desafiando-o furiosamente enquanto ia embora, "se você está aí, tem uma criança aqui que precisa de uma casa onde vai poder crescer sem passar fome e onde vai poder ser amada. Se você não puder dar isso, então deixe que ela morra. Se me der só isso, eu nunca mais vou pedir nada a você".

E, assim, desejou ao seu bebê uma vida feliz e o encontro de boas pessoas em seu caminho.

Ela tinha batizado a criança de Sabekile, que significa "Assustadora", porque conheceu o medo no dia em que um homem de Deus lançou-se sobre seu corpo em estado de choque. Sentira como se uma mão gelada apertasse seu coração, uma mão que a deixou tremendo. Foi um tremor que a deixou com raiva, que a tornou inconsequente. Mas quem não tem nada a perder tem a chance de disputar uma queda de braço com Deus — e talvez até vencer.

5

Na sua juventude, Zola era uma estrela em ascensão na Hope School, situada no Vale das Mil Colinas. Corria como um raio, e a escola exibia com orgulho os troféus que provavam suas conquistas. Embora seu nome fosse Nokuzola, os espectadores nas competições o encurtaram para Zola — gritavam "Zo-la! Zo-la! Zo-la!" quando ela se aproximava da linha de chegada —, como Zola Budd, a corredora sul--africana que competira nas Olimpíadas.

Nokuzola não tinha dinheiro para tênis de corrida e, como a outra Zola, adorava sentir o chão nos seus pés. Criou um relacionamento com a grama, a terra ou o asfalto, onde quer que estivesse competindo. Seus pés se comunicavam com o chão. Adorava sentir seu coração batendo mais rápido logo antes do apito que sinalizava a largada para ela e seus competidores.

As corridas de cavalos foram sua primeira paixão. Adorava ver os cavalos correndo, e seu maior desejo era ser um daqueles homenzinhos que se agachavam sobre os majestosos animais para conduzi-los em uma disputa contra o próprio vento. Nunca teve a oportunidade de estar perto de um cavalo. Assim, escolheu a segunda melhor coisa que havia: correr como eles. Fingia ser mais rápida que o animal mais veloz na corrida. Seu coração pulsava e a adrenalina saltava em suas veias quando disparava da largada até a linha de chegada, enquanto se sentia leve como uma pena. Ao ouvir os gritos que ecoavam, tudo ficava devagar em sua mente. Sentia o vento passar pelo seu corpo, e uma sensação de paz a envolvia quando se aproximava da vitória.

Um dia, sua rebelde tia Skwiza veio visitá-la. Contou que havia ganhado uma bolada ao apostar em um cavalo chamado Sweet Apples. Depois disso, Zola pensava em Sweet Apples cada vez que corria.

Zola era o orgulho de sua mãe, mas seu pai não estava nada contente. Não queria ver a filha usando aqueles shortinhos de corrida, que, segundo ele, mais pareciam calcinhas. "Isso aí expõe o corpo dela pra todo mundo, inclusive tarados, maSosibo, e ela está crescendo", reclamava.

MaSosibo fazia então um apelo a ele: "Só mais um ano, Baba, e aí ela para. Eu prometo".

Ele concordava relutante. Em segredo, tinha orgulho de sua filha. Achava que ela corria como um animal selvagem.

Zola ignorava boa parte da atenção que recebia, mas se sentiu forçada a notar a presença de Sporo Hadebe. Ele era estranhamente escuro, com um maxilar forte e um sorriso que iluminava seu rosto. Era também o jogador de futebol mais popular da escola. Mas foi seu cheiro único que fez com que ela o percebesse. Era um cheiro desconcertante, que não era perfume nem suor do treino, mas que emanava dele sozinho.

Ela sabia quando ele se aproximava antes de vê-lo aparecer pelos cantos, ou quando ele entrava na sala de aula. O novo interesse que ela sentia por Sporo a levou ao jogo de futebol para vê-lo jogar.

Os olhos de Zola percorriam o corpo dele, analisando cada parte. Observava suas panturrilhas perfeitamente torneadas e sua perna direita, levemente torta na altura do joelho, o que dava a ele um modo distinto de correr. Os músculos das suas coxas destacavam-se como em fotos em um livro de biologia. Quando os garotos tiravam suas camisetas depois do treino, ela observava como cada músculo em seu abdômen era trabalhado, sem um grama de gordura à mostra. Seus braços eram fortes e, quando sorria, covinhas apareciam em suas bochechas. Poderia este garoto ser mais belo e sem se dar conta disso? Tentava não manter o olhar fixo nele, mas fracassava completamente.

No início, Zola achou que estava sonhando quando Sporo a paquerou. Ele não era apenas esperto e decidido, era também inteligente na sala de aula e engraçado. Mas, apesar de tudo isso, não era arrogante. Zola prometera a si mesma que não iria se envolver com garotos, já que seria questão de vida ou morte se seu pai autoritário descobrisse. Mas com Sporo ela não conseguiu. Havia nela um sentimento de premência.

Eles conversavam depois das aulas de educação física e nas excursões que a escola fazia durante as competições esportivas. Ela até começou a acompanhar futebol, o que deixou seu pai contente e intrigado. Formavam um par e tanto, Zola e Sporo. Os invejosos olhavam os dois com desdém, enquanto outros admiravam abertamente o casal. Tornaram-se inseparáveis, e havia algo de muito doce quando os dois estavam juntos. Até mesmo os professores desviavam o olhar daquele romance que desabrochava, em vez de repreendê-los como normalmente faziam. "Parecem suficientemente maduros para terem responsabilidade", disse a professora de educação para a vida Pearl, que se interessava na vida de seus alunos.

"Se você pensa assim... só não se esqueça de que eles são adolescentes com os hormônios à flor da pele", disse o Sr. Zondo, professor de inglês, que fazia objeção principalmente por ele próprio não conseguir parar de pensar em Zola. A ideia de vê-la com outra pessoa o transformava em um colegial ciumento.

O Sr. Zondo sentava-se à janela e a olhava durante a hora da merenda. Odiava ver a forma como ela ria das piadas de Sporo. Por mais que adorasse futebol, começou a odiar o jeito tranquilo de Sporo. Detestava como Sporo colocava o braço em volta dos ombros de Zola, a maneira como olhava para ela, as confidências que eles obviamente compartilhavam. Ele soube o dia em que Zola perdeu a virgindade para Sporo.

Ela começou a desabar. Parou de fazer o dever de casa e passou a correr mais devagar, inicialmente pouco a pouco, até que desmaiou no campo. O Sr. Zondo quis gritar como alguém que havia passado por uma desilusão amorosa. "Sabe, pensando melhor agora, não é nem que eu estivesse apaixonado pela garota. Uma parte de mim queria que ela fosse preservada, queria evitar que a machucassem", ele confessou a Pearl, paralisada pelo choque.

Zola já havia confessado seus medos mais íntimos a Pearl, que a havia escutado com um misto de compaixão e alívio. Ela estava de olho no Sr. Zondo, que parecia estar de olho em Zola, que só tinha olhos para Sporo. Pearl ficou aliviada ao ouvir que a garota não tinha nenhum interesse no

Sr. Zondo. Mas ficou estarrecida ao saber que ela poderia estar grávida das suas relações com Sporo, e que o seu pai certamente a mataria. Isso significava que o Sr. Zondo ficaria com Pearl, assim que ele descobrisse que a garota não tinha nenhum interesse por ele. Ela comprou um teste de gravidez e pediu para Zola urinar no bastão. A linha determinaria se ela estava grávida ou não.

Pearl consolou a garota da melhor forma que pôde quando uma linha rosa apareceu no bastão. Zola chorou até não ter mais lágrimas. Pearl falou palavras maternais: "Pronto, pronto, Zola, não é o fim do mundo. Vai superar este momento difícil. Quer que eu fale com sua mãe ou prefere contar pra ela?".

Esta pergunta fez jorrar ainda mais lágrimas dos olhos de Zola. Ela sentiu a ferroada das novas realidades que precisaria encarar. Não sabia como enfrentaria seus pais. "Não, não, não, eu mesma vou contar pra eles", disse a Pearl.

Mas primeiro, ela precisaria contar a Sporo, e eles decidiriam o que fazer. O pensamento de tê-lo a seu lado deu esperança a ela. Não estaria sozinha. Aquilo deu a ela a força de que precisava para suportar o fim de semana em casa.

Na segunda-feira, durante a hora do almoço, ela e Sporo sentaram-se na sombra da árvore onde sempre ficavam. Ela estava mais quieta do que o habitual. Sporo sentiu-se confuso, mas manteve seu jeito tranquilo de ser.

"Sporo, sexta-feira eu desmaiei no treino", disse finalmente. "Eu e a professora Pearl conversamos sobre nós dois. Você sabe, o que nós fizemos". Ela parou e procurou o rosto dele com o olhar.

E ele apenas sorriu e assentiu com um gesto.

"Bom, fizemos um teste, Sporo. O teste confirmou que

eu estou grávida". Ela o olhou atentamente, tentando calcular sua reação.

Novamente, houve apenas um sorriso e, com ele, uma nova onda de pânico.

"Sporo, eu não estou brincando. Meu pai vai me matar, e provavelmente vai matar você também", sua voz estava trêmula.

"Ele não vai. Você é a filha dele. Ele vai se acalmar com o tempo. Você vai ver. E, se o bebê for menino, vai ser um jogador de futebol. Se for menina, vai ser linda como você". A resposta dele não surpreendeu Zola, mas em nada aliviou sua ansiedade.

Ele era o tipo de garoto que não ficava abalado com nada. Nem mesmo a furiosa retidão do pai de Zola era capaz de assustá-lo. "Olha, eu posso sair da escola e arranjar um trabalho pra cuidar de você. Vou pedir para os meus pais falarem com o seus. Se eles colocarem você para fora de casa, Zola, eu vou ficar muito feliz se você vier morar conosco". Estava começando a ficar entusiasmado demais com seus planos complicados.

"Espere", disse Zola, tomando fôlego. "Eu ainda não falei nada para os meus pais. Estamos perto das provas finais. Meu plano é deixar pra contar a eles o mais tarde possível. Talvez eu espere até eles me enfrentarem, porque eu não consigo fazer isso".

Por fim, decidiram ir levando um dia de cada vez. Em seguida, almoçaram em silêncio.

Quando 1990 chegou a seu fim, com o relógio marcando meia-noite, fogos de artifício iluminaram o céu. Dos distritos aos bairros de classe média, ouviam-se gritos de exaltação e o envio de preces aos céus. O que havia de mais importante na mente de muitos era a promessa de um novo ano.

Ao longo da praia, na Golden Mile de Durban, a cerveja corria solta, e os farristas seguiam pelas nuvens enfumaçadas de carne assada, intoxicados pela esperança de dias melhores.

Até os mais pães-duros eram estimulados a gastar à vontade. Para a alegria das crianças, havia doces e bolos em abundância.

Em meio a essa festa toda, Zola, com náuseas, sentia o aperto da culpa e do medo. Sentia-se sozinha. Trancou-se dentro de um banheiro minúsculo em casa, vomitou até perder o fôlego e desabou num pranto inconsolável. Havia perdido a inocência aos dezesseis anos. "Seu pai vai te matar antes de permitir que você dê à luz com essa idade", ameaçava uma voz dentro dela.

O gênio do seu pai era lendário. Não era à toa que ele era conhecido como Pimenta, o tempero mais forte de Durban, a terra do curry capaz de incendiar o rabo de qualquer um.

Zola entrou o ano novo nesta tristeza solitária, mas manteve as aparências diante de seus pais. Mesmo quando tentava esquecer, a cavidade na barriga que continuava a crescer causava-lhe uma doentia preocupação. Ela começou a usar jaquetas, camisetas e calças com elástico na cintura, em números maiores que o seu. As roupas não levantaram suspeitas, já que tanto seu pai como sua mãe a incentivavam a esconder seu corpo de predadores atrevidos.

Seu corpo cresceu, enchendo-se para acomodar a vida que crescia dentro dela. MaSosibo lutou contra sua intuição feminina. Tentou aceitar a ideia de que o corpo da filha estava apenas mudando, deixando de ser o corpo de uma menina para ser o corpo de uma mulher. Mas a crença nas próprias mentiras tem o poder de deixar qualquer pessoa doente. Ela perdia o sono agonizando com os pensamentos de algo que já sabia, mas que não queria admitir. MaSosibo acordava noite após noite suando frio.

6

A vida no distrito de Mkhumbane, em Durban, fervilhava com uma esperança renovada, e os botecos faturavam mais dinheiro do que nunca. Os clientes assíduos estavam em alto-astral com a promessa de iminentes ganhos financeiros. Aqueles que tinham uma imaginação fértil falavam em mansões com empregados, frotas de carros e viagens a países que conheciam apenas de nome.

Uma bebida fermentada de abacaxi, junto com a isqatha, a cerveja caseira letal que às vezes tinha até ácido de bateria, embalava os sonhos de uma nova terra de leite e mel que estava por vir. Sob uma nuvem de inebriante fumaça de maconha, os clientes ficavam da manhã até o pôr do sol bebendo e sonhando com uma vida na qual versões mais ricas de suas personalidades atingiriam o sucesso.

Skwiza, tia de Zola e dona de várias tavernas em Mkhumbane, olhava com satisfação enquanto seus clientes assíduos torravam os modestos salários que ganhavam fazendo serviços de jardinagem nos bairros abastados para beber e abastecer seus sonhos. Como várias mulheres em sua família, Skwiza era alta. Além disso, tinha seios grandes, que lhe causavam problemas de coluna, fazendo com que caminhasse encurvada. Essa inclinação acentuava ainda mais suas nádegas. Seus cambitos tortos sustentavam a carga pesada dos seus dois metros de altura. Sua estatura era ao mesmo tempo cômica e intimidante. Era muito calorosa quando via a cor do dinheiro e assustadoramente fria quando os clientes não conseguiam pagar suas dívidas.

Era o contrário da mãe de Zola, que era uma matrona para suas crianças e uma serva submissa para seu marido autoritário. Zola amava sua tia e demonstrava grande admiração por ela nas raras oportunidades que tinham de visitá-la.

O sentimento era recíproco. Skwiza amava Zola porque era bela e jovem, lembrando-lhe dela própria quando tinha a idade de Zola. Gente jovem deixava Skwiza animada.

Para Zola, era óbvio que, assim que seu segredo fosse revelado, buscaria abrigo na sua tia. Skwiza era a única mulher que enfrentava seu pai. Na verdade, de salto alto, a altura dela o dominava. Pimenta não gostava de Skwiza por isso. Estava claro que havia algo nela que o perturbava, e ele não queria sua família perto dessa mulher.

Quando a escola retornou às atividades, faltavam três meses para Zola dar à luz. Seus músculos já não estavam mais tonificados e bem definidos. Estava mais roliça, mas o olhar inexperiente dos jovens não desconfiou de nada. O Sr. Zondo e Pearl, no entanto, sabiam o que estava acontecendo por debaixo do uniforme. Zola não participava mais dos treinos, embora ficasse sentada assistindo. Isso deixou o treinador furioso, mas ele atribuiu a teimosia de Zola à inconstância típica dos adolescentes. "Ela estava ficando mais devagar mesmo. Uma nova Zola Budd vai surgir neste novo grupo. Quem viver, verá". O treinador era sempre o mais otimista.

Sporo começou a se distrair nos jogos após o início do novo período letivo. Não conseguia parar de se preocupar com o segredo que ele e Zola guardavam. Queria contar aos seus pais, mas sabia que eles iriam imediatamente à casa de Zola para relatar o ocorrido. Assim, tornou-se cúmplice dela.

Com Zola no fundo dos seus pensamentos, Sporo não viu o táxi em alta velocidade ao atravessar a rua, voltando do treino com o time. Os gritos vieram tarde demais, e tudo ficou branco. Sporo e outros dois colegas de equipe foram atropelados pelo táxi em disparada. A imagem de Zola com um bebê em seus braços foi a última que viu antes de se entregar.

Os seus músculos se relaxaram, e a bola suja de sangue rolou para longe dele. O treinador se abaixou e gritou "Sporo, Sporo!". Seus olhos estavam abertos, mas não registraram a presença do técnico que, perplexo, gritava e praguejava segurando a cabeça de Sporo. Alguns garotos correram até a escola para avisar a diretoria, enquanto outros começaram a atirar pedras no táxi. O motorista estava fora de si. Corria para apanhar um grupo de pessoas que pagariam diretamente a ele, em vez de ao dono do táxi.

Quando Zola viu os garotos manchados de sangue aos berros, indo em direção à sua classe, a água começou a sair de seu corpo, correndo pelas pernas. No início, quando sentiu o calor do líquido, achou que urinava. Mas a água não parou de sair. Ela se levantou, com os olhos arregalados de pavor. Com apenas um olhar, a professora Pearl viu que ela não podia esperar. Pearl foi ao encontro dos garotos na porta e gritou pelo Sr. Zondo, pedindo para que ajudasse a levar Zola ao hospital — o mais próximo era Marianhill.

Os garotos deixaram escapar a terrível notícia do acidente e um pandemônio se instaurou. O Sr. Zondo assumiu o volante e pisou no acelerador, enquanto Pearl segurava Zola no banco de trás. Foram obrigados a parar e fazer o parto em pleno carro, pois Zola não podia esperar. Ela tinha escutado o que os garotos falaram, e seu corpo queria que o bebê saísse. Sporo se fora. O seu porto seguro não existia mais. Agora, seria apenas ela e este bebê.

Pearl e o Sr. Zondo resolveram levar a jovem mãe e o bebê para uma clínica em Pinetown, subúrbio de Durban. Quando chegaram lá, foram mandados para a maternidade do Hospital King Edward. Ela havia sangrado demais.

A notícia de que Zola havia dado à luz não surpreendeu maSosibo. Ela ficou aliviada e animada em segredo. Naturalmente, fingiu estar tão surpresa quanto o marido, que ficou petrificado. A única coisa que disse foi: "Eu não tenho mais filha. Ela e essa criança bastarda não são mais bem-vindas nesta casa. Ela só nos trouxe vergonha".

Suas palavras deixaram maSosibo sem forças para discutir. No dia seguinte, ela saiu escondida para visitar Zola no hospital, enquanto o marido estava no trabalho. Zola estava de luto pela morte de Sporo e preocupada com o bebê. Assim como o pai, ficou petrificada. Permaneceu em silêncio, enquanto um milhão de pensamentos passavam pela sua mente, todos sobre qual seria o próximo plano.

Não ficou assustada ao ver sua mãe. Simplesmente mostrou-lhe o bebê e não falou nada, exceto para dizer que se mudaria para sua tia Skwiza em Mkhumbane. Sua mãe fez uma leve objeção, mas sabia que era a única alternativa.

Zola pediu desculpas por tê-la envergonhado e pediu para que passasse a mensagem ao seu pai. Abraçaram-se e choraram antes de maSosibo beijar sua neta e ir embora.

Zola lembrou do que Sporo dissera, que se o bebê fosse menina, deveria ser batizada Nomvelo, "tão linda como você". Suas palavras voltaram para assombrá-la. Quando Zola foi registrar o bebê, preencheu o nome dela como Nomvelo Zulu e, no endereço, colocou o bar de Skwiza.

No dia em que recebeu alta, enrolou o bebê num cobertor que sua mãe havia lhe dado e partiu rumo a Mkhumbane para uma vida nova no boteco da tia Skwiza, que recebeu Zola e Mvelo de braços abertos.

Nada era de graça para Skwiza. Zola teve que trabalhar para ganhar a vida. Ajudava na fermentação do abacaxi e do pão para a bebida caseira, fazia a faxina e qualquer outra coisa que Skwiza pedisse. Mas, por mais que fizesse Zola pegar no batente, Skwiza cuidava para que ela e o bebê fossem bem tratados. Secretamente, Skwiza agradecia pela oportunidade de poder viver com uma família de verdade, com laços de sangue.

Em Mkhumbane, Zola encerrou o capítulo da sua juventude. Não foi ao funeral de Sporo. Ocasionalmente tinha notícias de sua mãe, que havia sido proibida de manter contato com a filha. Zola não tentou voltar à escola ou contatar a família de Sporo. Concentrou-se simplesmente em seu bebê e em seu trabalho no bar.

Ela não era de prestar atenção aos homens. Sporo fora especial, mas os homens do boteco não a interessavam. O vício que tinham pelo álcool parecia uma fraqueza. Ela os observava de longe, e eles pareciam sentir que ela não era alguém com quem deveriam tentar a sorte. Era fria e indiferente às palhaçadas deles.

Mvelo cresceu em meio ao caos do bar. Tinha quatro anos quando o povo foi às urnas votar pela primeira vez.

Houve muita alegria e música ao seu redor. Ela bateu palmas com suas mãozinhas e dançou com todos.

Era uma criança adorável, mimada por Skwiza e pelos clientes, que ofereciam guloseimas a ela para ganhar o afeto de Zola. Mvelo chamava Skwiza de Skwiza, como todo mundo, quando na verdade, deveria chamá-la de Gogo. Mas Skwiza ficaria arrasada. Tinha repulsa ao envelhecimento. "Tem cheiro de morte", ela dizia. Assim, todos a chamavam apenas de Skwiza.

No meio de toda aquela exaltação, um dia o telefone tocou e Skwiza caiu de joelhos no chão, gritando para Deus. Os pais de Zola estavam mortos. Seu pai fora acusado de apoiar o partido político errado e um grupo de justiceiros derramou gasolina na casa, incendiando-a com os dois dentro. "Minha irmã se foi, Zola, ela se foi. Ah, meu Deus". Skwiza se recolheu em posição fetal e chorou como se desse uivos. Assustou a pequena Mvelo, que nunca a tinha visto daquele jeito.

Zola não derramou lágrimas e ficou anestesiada por dentro. A igreja tomou conta do velório e do enterro. Não queriam reconhecer Zola e a filha, para o caso de ela querer reivindicar uma herança. A pensão e as economias do pai, que deveriam pagar pela faculdade de Zola, foram deixadas para a igreja como única beneficiária. Ela não contestou e também dissuadiu Skwiza de reclamar. Os acontecimentos tornaram Skwiza e Zola mais próximas do que antes. Zola e Mvelo eram os únicos laços de sangue que restavam à sua tia.

Os negócios estavam em plena expansão no bar de Skwiza. Embora a classe média negra que emergia estivesse de partida para os subúrbios, as pessoas visitavam a taverna de Skwiza nos dias de semana em busca de cerveja, carne e do sabor do distrito.

Em meio a esse êxodo dos distritos aos subúrbios, um advogado chamado Sipho Mdletshe se recusava a sair. Era o cliente favorito de Skwiza porque não apenas pagava suas próprias bebidas, mas também pagava rodadas para outros, que se agarravam a ele como abelhas ao mel.

Skwiza tinha orgulho dele, pois Sipho conhecia lideranças que tinham grande prestígio na comunidade, ainda que seus amigos fossem os clientes do bar em Mkhumbane. Era uma medida de autoproteção planejada de sua parte. Tornou-se próximo daqueles que estavam em situação social inferior à sua, porque assim não poderiam lhe fazer mal. Em vez disso, tinham Sipho como exemplo.

Enquanto seus colegas dirigiam-se para os abastados subúrbios de Mount Edgecombe e Umhlanga em sofisticadas caminhonetes e conversíveis, ele se deslocava de seu luxuoso escritório com vista para o porto de Durban para uma casa modesta em Mkhumbane.

Seus colegas chamavam o lugar onde ele morava de Cato Manor, mas ele os lembrava que George Christopher Cato foi um safado nascido na Inglaterra, provavelmente um pária no seu país de origem, que veio tentar a sorte na terra dos nativos ingênuos. Foram tão crédulos que deixaram uma parte da sua própria terra ser batizada com o seu nome. Cato Manor, o Campo de Cato. "A audácia desses colonos é de cair o queixo", Sipho dizia, afirmando estar muito contente em uMkhumbane, uma antiga e vibrante comunidade batizada com o nome de um riachinho que corria pelo distrito histórico, deixando claro que aquele assunto estava encerrado.

Ele ia ao bar toda noite, trazendo umngenandlini, presentes para a pequena Mvelo e para Zola. Na maioria das vezes, chocolates para Mvelo, que ele às vezes dava escondido porque Zola não gostava que a filha comesse doces demais. Zola ganhava frutas e biscoitos chamados Oreo. Seus presentes realmente guardavam as expectativas de ganhar o afeto de Zola, e Mvelo ficou apegada a ele. Ela o chamava de babayi, tomando-o por seu pai.

Ele tinha um jeito tranquilo que fazia Zola se lembrar de Sporo, mas ela lutava contra esses sentimentos da forma que podia. Tinha fama de conquistador, mulherengo, e não escondia isso de ninguém. Era alto, mas gostava de todo tipo de mulher, altas e baixinhas, gordas e magras, jovens e velhas, negras e brancas. Elas iam a ele aos montes. Isso facilitou para que Zola o rejeitasse, pois ela não estava interessada em dividi-lo com ninguém.

Sipho vinha tentando passar um ar desinteressado para cativar Zola, mas começava a achar que isso não iria funcionar. Era algo novo para ele: sentir-se tão perdido diante daquela mulher que mais parecia uma rocha. Havia tentado persuadi-la dando presentes a ela, sendo amável com sua filha e até ignorando-a. Mas nada disso parecia funcionar.

No início, sentiu-se muito triste por ela, que aparentava ser assombrada por uma mágoa tão grande que a fez parar de viver. Ela a observava trabalhando no bar de Skwiza, limpando as mesas com um jeito distante, como se estivesse sozinha no meio da multidão ruidosa. Observou seus músculos trabalhados de tanto levantar engradados de cerveja.

"Esquece isso, meu irmão. Essa aí vai ficar com os anjos", disse o seu irmão beberrão. "Deve ter se magoado pra valer. Está fora de circulação, não está à venda, ao contrário dessas interesseiras que andam com você só por causa da sua grana".

Sipho riu dele. Falou que todo mundo quer ser amado.

"Ah, pode ficar tranquilo. Ela vai ser amada", pausou, enfaticamente. "Por mim", anunciou. E os dois gargalharam e continuaram bebendo.

Quando o relógio marcou meia-noite e o ano de 1994 chegou ao seu fim, Zola bebeu uma garrafa de cidra com esperança renovada e sentiu a tontura bater. Foi arrebatada pelo espírito de celebrar a nova democracia e queria encerrar um capítulo extremamente doloroso em sua vida. O ano novo prometia, já que observava a sua filha de quatro anos crescendo para se tornar uma princesinha atrevida com a atitude tranquila de seu falecido pai. Zola sentiu orgulho por ter, pelo menos, realizado isso em seus vinte anos de vida.

Alegre com o efeito da bebida, ela riu e dançou com Mvelo. Sipho não conseguia acreditar no que estava vendo. Sabia que, se alguma vez tivesse chance com ela, seria agora. Ele se intrometeu e ofereceu a sua mão a Zola, implorando com os olhos. Mvelo empurrou sua mãe, fazendo-a cair nos braços de Sipho. A música ficou mais lenta, sinalizando a deixa para Sipho. Seu irmão bêbado olhava boquiaberto, incrédulo e com inveja.

E, naquele momento, os quatro anos de flerte entre Sipho e Zola viraram um relacionamento. Mas havia uma rígida condição da parte de Zola. "Não vou dividir você com ninguém. Se isso for um problema pra você, fale agora e ficamos por aqui".

Sipho ficou quieto. Apreciava tanto o momento que não queria pensar nessa questão de "tudo ou nada". Alguns instantes tensos e silenciosos se passaram antes que ele desse a sua resposta. "O que eu sei, com certeza, é que eu não quero te perder. Vou fazer o que for possível para ser fiel a você, mas, se eu não conseguir manter minha promessa, vou ser sincero e assumir". Ao dizer essas palavras, sentiu algo apertar em sua garganta.

Quando contou aos seus amigos sobre como aquela garota era diferente de qualquer garota que ele havia namorado, como ele se sentia desgraçado e ao mesmo tempo indescritivelmente feliz, como não conseguia parar de pensar nela e na sua adorável filhinha, disseram todos a mesma coisa: "Talvez você esteja apaixonado pela primeira vez em trinta e seis anos". Então, sentiu um pânico ainda maior. Ele andava distraído e não conseguia se manter concentrado por muito tempo sem recordar as piadas ácidas e inteligentes de Zola.

Um dia, ele foi ao bar e pediu a bênção de Skwiza para que pudesse levar Zola e Mvelo para morar junto com ele. Ela o abraçou e riu satisfeita. Para ela, Zola não poderia ter escolhido homem melhor. Além da óbvia vantagem de ter Sipho, o advogado, como seu genro, caso viessem a se casar, ela queria de verdade que Zola encontrasse a felicidade. O amor já havia transformando-a em uma flor que desabrochava tranquilamente. Sipho trouxera uma música curta e alegre para os lábios de Zola. Qualquer pessoa com ouvido musical podia perceber que havia um talento adormecido dentro dela. Até agora, Mvelo havia sido a única pessoa a fazê-la se abrir para um amor que não poderia seguir na indiferença.

Zola ficou confusa quando Sipho propôs para que ela e Mvelo fossem para casa junto com ele. "Mas nós já estamos em casa", ela disse.

"Não, estou falando em você vir para a casa comigo. Você e Mvelo devem ficar comigo. Por favor, diga que você vai morar comigo".

"Eu já pedi a bênção à sua tia", ele a assegurou, "e ela disse sim. Por favor, diga que sim. Você deve ficar comigo".

Assim, Zola aceitou, mas precisava falar com Mvelo antes.

Novamente, Sipho havia se adiantado. Ele tinha perguntado à princesinha o que ela achava do combinado, e Mvelo respondeu pulando para cima e para baixo.

Assim, mudaram-se para a casa dele, que não ficava muito longe do bar, e Zola passou por bons momentos. Ao se lembrar de como era ter uma vida em família, Zola se dedicou à criação de um lar para Mvelo e Sipho.

Demorou muito até que Sipho ganhasse coragem para apresentá-la à sua mãe possessiva e dominadora, que morava na área rural de eMpendle. No fundo da sua mente, sabia que era uma má ideia, mas Zola queria, e ele desejava fazê-la feliz. Desde que havia perdido sua família, passou a ansiar por um sentimento de afeto. Sentia falta da sua mãe e achou que talvez a mãe de Sipho pudesse preencher aquele vazio no tempo.

"Não sou boa o bastante para conhecer sua família?", perguntou a ele, num momento em que Sipho desconversava o assunto mais uma vez. Finalmente, ele cedeu, e ambos fizeram as malas para passar o fim de semana no campo.

Ao ver Mvelo, que Sipho apresentou como a filha de Zola, tudo estava acabado antes mesmo de começar. A mãe de Sipho olhou direto nos olhos de Zola e resistiu aos encantos da pequena Mvelo. Ela chamou o filho para um canto e deu uma bronca nele. "Até quando você vai trazer essas garotas pouco apresentáveis para a casa do seu pai? Essa garota é puro osso. Olhe para ela, só tem músculo, é como um homem. O traseiro dela é uma tábua de passar roupa. Sem contar que teve uma filha com outro homem. Ela é de segunda mão, Sipho, isekeni. Você é melhor do que isso". Sipho se mostrou resoluto e aguentou no peito, sem saber que Zola havia escutado a conversa.

Zola refez as malas e pediu para voltar imediatamente. "Eu ouvi tudo, Sipho. Desculpe por ter insistido para vir aqui. Eu estava errada. Vou poupar sua mãe do fingimento". Ela ficou surpresa de ver o quanto era doloroso ser rejeitada por esta mulher que nunca havia encontrado antes. A próxima vez que veria a mãe de Sipho seria anos depois, e em circunstâncias muito diferentes.

A viagem de volta para casa foi bastante silenciosa. As lágrimas dançavam perigosamente nos olhos de Zola, prestes a despencarem sobre as maçãs da face. Sipho dirigiu com uma mão no volante, segurando a mão dela com a outra.

Mvelo foi sentada no banco de trás, bastante quieta. Ela sabia que havia algo errado.

Da mesma forma que uma espinha pode se tornar uma ferida aberta, problemas começaram a surgir na alegre casa onde moravam. Sipho passou a trabalhar até tarde, voltando de casa às escondidas na calada da noite. Quando estava lá, os jantares eram tensos e já não tinham os risos e as histórias do seu dia no escritório. Como uma tartaruga, Zola recolheu-se em si e retornou ao seu triste ser.

Mvelo esforçou-se para manter a família entretida, mas não adiantou. Havia um clima frio na casa, e ela se irritou, principalmente com a mãe. "Por que ela não consegue ser feliz?", ela perguntava a si mesma. A tristeza de Zola contaminava. Infiltrava-se por toda parte e mantinha Sipho longe no escritório ou no bar.

Zola teve a sensação de que começava a perdê-lo. Sentiu raiva dele por não tê-la defendido diante da sua mãe, e raiva de si mesma por não conseguir mantê-lo interessado. Uma onda de pânico a arrastava cada vez que pensava em seu futuro sem Sipho.

Lutava ardentemente para conter as lágrimas quando olhava para Mvelo. O que vai acontecer com esta criança? Ela sabia que não poderia ficar com Sipho se ele começasse a dormir com outras mulheres. Conversas sobre o vírus mortal do HIV causavam-lhe arrepios. Jurou a si que não deixaria Mvelo sozinha se contraísse a doença.

Mas sua pior batalha era consigo mesma e, por mais que Sipho tentasse manter a família unida, ela o afastava. Preocupava-se e entrava em pânico com os pensamentos de que ele não estava sendo sincero com ela e que iria contrair a doença. Assim, recusava suas investidas. Ela exigia exames e insistia em usar camisinha. As regras apertavam o nó no pescoço de Sipho, até que um dia ele acordou sufocado, sem conseguir se lembrar por que estava com essa mulher. Não sabia como dizer a ela, e sua ligação com Mvelo tornava isso ainda mais difícil.

7

Sipho amava Zola. Durante seis anos, ficou somente com ela. Mas aquilo havia se tornado complicado demais para ele. As mulheres o amavam e ele amava as mulheres. "É que isso não é natural para mim", disse a Zola.

Ela tentou fazer vistas grossas, até que um dia ele chegou em casa trazendo um grupo de advogados do trabalho que vinham dos Estados Unidos. Entre os convidados, estava uma mulher muito bonita. Eles jantaram na casa de Sipho e foram até o bar para "vivenciar o distrito". No jantar, estava claro para Zola que o charme dele havia conquistado a mulher.

Ao contrário da maioria dos afro-americanos, Nonceba Hlathi era da etnia Xhosa e foi morar nos Estados Unidos com sua avó afro-americana, Mae. Seu nome foi uma surpresa para o pessoal da região. Ela parecia tão exótica que esperavam um nome de origem inglesa. Mas ela manteve-se firme em relação às suas origens e sua identidade. Deixava isso claro ao abordar Sipho frequentemente em sua língua materna. Os americanos ficavam fascinados e desatavam em ataques de risos ao ouvir os cliques característicos da língua. Sipho e ela se divertiam exibindo o idioma para os outros convidados.

A pele de Nonceba era de um tom dourado que brilhava como se o sol a refletisse. As maçãs da face eram arredondadas, e ela tinha um olhar aguçado que não deixava nada escapar. Seu cabelo tinha tranças. Sipho sentia por ela o mesmo encanto que ela sentia por ele. Os gracejos desavergonhados dos dois faziam com que os outros se entreolhassem com surpresa. Nunca tinham visto Nonceba flertar antes. Eles a chamavam de Rainha do Gelo pelas costas. Ficaram impressionados de vê-la balançar dessa forma, e Sipho despertou a curiosidade do grupo.

Mas Nonceba não percebia a tristeza que estava causando em Zola. Sipho não havia sido sincero ao falar sobre seu relacionamento com ela. Foi ambíguo, dizendo que Zola era uma amiga próxima passando por dificuldades, e que estava cuidando dela e da filha. Da forma como se expressou, soou para Nonceba como se Zola fosse alguém que lhe ajudava em casa e que recebia o apoio de Sipho para se reerguer. O fato de Zola mostrar-se distante e fria com ele, na presença de ambos, não ajudou. Ela retirou-se para o seu quarto e jantou sozinha, enquanto a conversa seguia animada na mesa.

Zola tinha uma beleza natural, mas não tinha chance frente a essa mulher. Ela sabia disso e, depois de servir a janta e de participar de uma afetada conversa fiada, temerosamente pediu licença e foi para a cama.

Zola conseguia ouvir as risadas e as conversas inteligentes, até Sipho levar o grupo para o bar de Skwiza, que ficou animada em receber clientes dos Estados Unidos.

Foi a noite mais solitária que Zola teve desde que foi

morar com Sipho. Ela sabia que aquele era o antecipado fim de seu sonho, o que fez com que chorasse até pegar no sono. Mvelo também estava com dificuldade para dormir, mas por outro motivo. Não conseguia parar de pensar na linda mulher da América. Jurou um dia ser tão bonita quanto ela.

Aos dez anos, Mvelo conhecia muito pouco os meandros do coração. Ainda que sua mãe estivesse arrasada, ela não estava, pois tinha certeza absoluta de que Sipho amava ambas.

O novo milênio pairava no horizonte com um novo capítulo para Zola. Quando romperam, Sipho pediu para que Zola e Mvelo se sentassem. Foi um momento tenso e solene. Ele estava emocionado. Desculpou-se por não ter conseguido manter sua promessa. Então, declarou abertamente que sentia um tipo diferente de amor por Nonceba. Salientou que nada o impediria de ser um pai para Mvelo, e o quanto ainda amava as duas, mas que Nonceba era alguém que ele não queria perder. Os olhos de Mvelo se encheram de lágrimas. Confusa, olhou para a sua mãe. Não conseguia acreditar na forma como ele despedaçava seus corações. Ela amava Sipho, mas sua mãe era o que havia de mais importante no mundo. Saiu correndo da sala e se trancou no quarto. Sipho se sentiu derrotado. Era duro ver essa garotinha magoada por sua causa, mas era preciso ter uma conversa franca com Zola.

Sipho pensou no seu discurso durante dias, mas foi difícil encontrar as palavras. Começava a perceber o que estava se passando com ele. O amor que sentia por Zola era do tipo que dava segurança a ele, o amor que a maioria dos homens deseja. Escolhem uma mulher que não os desafie para que possam ter uma vida confortável e previsível. Escolhem alguém para cozinhar, cuidar do lar e satisfazer suas necessidades físicas; alguém que os aceite como provedores e que irá simplesmente lhes retribuir com amor e admiração.

Nonceba, por outro lado, foi como um relâmpago na vida de Sipho. Com Zola, ele era um homem equilibrado porque estava no comando. Com Nonceba, no entanto, caminhava em um terreno mais perigoso. Disse que não quis contar mentiras a Zola por respeitá-la.

Não parecia considerar que Zola poderia fazer as malas e ir embora. Em meio à febre de amor que sentia por Nonceba, simplesmente presumiu que Zola iria aceitar e continuar a viver com ele. Ele sabia que ela não tinha para onde ir, a não ser para o bar. E sabia que ela não queria ver Mvelo crescendo em meio a homens bêbados e depravados.

Zola podia não ser páreo para Nonceba, mas era uma mulher que tinha seu orgulho e amava Sipho demais para dividi-lo com outra. Não perdeu tempo ao colocar na mala as roupas da filha, junto com as suas. Como um recado de despedida, derramou um balde d'água na cama de Sipho e urinou nos sapatos dele. As duas voltaram para o lugar de onde haviam partido. Skwiza recebeu ambas novamente de braços abertos e com murmúrios carinhosos. Ela também não estava contente com Nonceba, a nova mulher na vida de Sipho, já que agora ele não era mais um cliente assíduo.

Nonceba era uma mulher complexa. Descendia daqueles que morreram com gritos horripilantes e maldições em suas línguas, e daqueles que estavam em comunhão com a terra de maneiras que o empirismo da ciência não poderia explicar. Seu nome significava "mãe da Compaixão". Nasceu em uma pequena cela em John Vorster Square. Sua mãe, Zimkitha Hlathi, estava na cadeia, mas tinha um espírito livre e contestador. Seu pai Johan Steyn, por outro lado, estava consumido pela preocupação que sentia por Zimkitha, seu amor proibido.

Agora as curvas femininas de Nonceba remetiam a mulheres como a forte e altiva rainha Ashanti, Ya Asantewa, Sojourner Truth, Nongqawuze, Ellen Khuzwayo, Lillian Ngoyi e muitas outras mulheres guerreiras do mundo. Sua força de vontade era feroz e destemida, como as aguerridas boeremeisies que resistiram à dominação inglesa. Dentro de si, tinha a inquietação de Ingrid Jonker e as qualidades de uma poderosa curandeira, embora não quisesse reconhecer.

Tinha o cabelo que muitas mulheres negras gastam milhares de rands para conseguir e, ainda assim, desejava ter o cabelo enroscado como algodão doce, um nariz largo e as curvas mais cheias, traços que são associados à autêntica negritude. Enquanto muitas negras a invejavam, ela as invejava.

Odiava a atenção que recebia, pois não confiava nela. Sabia que era principalmente devido à sua aparência. No entanto, tinha outras qualidades. Era intuitiva em relação àqueles que cruzavam seu caminho. Quando criança, sentia-se mal, pois o peso de todas as tristezas e chagas do mundo era demais para uma criança suportar. Os médicos americanos emitiram toda sorte de diagnósticos e receitaram pílulas a ela, mas, ao longo do tempo, Nonceba aprendeu a domar sua sensibilidade.

Conhecer Sipho a tranquilizou, porque confiava que o amor que ele sentia por ela se devia ao seu verdadeiro eu, e não só pela embalagem. Podia finalmente respirar. Nonceba levava jeito para a advocacia, pois conseguia se distanciar da argumentação, ao mesmo tempo em que calculava instintivamente o lado mais fraco e partia para o ataque.

Sipho mudou de uma forma que frustrou muitas pessoas em uMkhumbane, uma vez que não as atendia com a mesma frequência de antes. Os tsotsis que costumavam contar com a sua representação na corte, por crimes grandes e pequenos, não podiam mais contatá-lo, pois Sipho havia começado a representar grandes empresas seguindo a sugestão de Nonceba. Pensaram em armar uma emboscada para ela, mas sentiam que ela não estava sozinha. Sentiram que havia outras almas pairando ao seu redor. Assim, tinham calafrios sempre que se aproximavam dela.

A pessoa que menos se impressionou com Nonceba foi a mãe de Sipho. "Não gostei nem um pouco dela", disse, quando ele a levou para visitar a velha em eMpendle. "Ela me assusta. Tem algo errado com essa garota. Ela é cheia dos ancestrais, dos amadlozi. Qual o problema de ter uma boa mulher Zulu, como Zola?". Sipho quase caiu para trás quando se lembrou dos comentários depreciativos que ela havia feito sobre Zola. "Bom, antes aquela do que mal acompanhado", murmurou, quando viu o olhar que ele lhe lançou, "com essa coisa estranha que você trouxe pra minha casa".

Sipho nunca mais levou Nonceba para o campo depois daquilo, e foi em uma de suas visitas de fim de semana para eMpendle que os tsotsis aproveitaram a oportunidade. Viram que o seu carro não estava e pensaram em aguardar até a madrugada, para que pudessem fazer uma emboscada para Nonceba enquanto ela estivesse em um estado de torpor provocado pelo sono. Tinham aprendido este truque com os bôeres dos anos oitenta, que atacavam os distritos na calada da noite. Os tsotsis preferiam as primeiras horas do domingo, quando apenas os espíritos dos mortos ousavam perambular pelas ruas.

A casa estava completamente escura quando se aproximaram. Sabiam tudo sobre o local, pois quando Skwiza os expulsava para fechar o bar, a festa continuava na casa de Sipho. Isso antes de Nonceba, essa maldição, chegar.

Imaginaram que seria fácil. Não havia grades nas janelas da casa de Sipho. Ele vivia como se estivesse alheio ao mundo ao seu redor. Sempre disse que viver atrás de muros e alarmes apenas enriquecia a indústria da segurança, que se aproveita do medo das pessoas. Na opinião dos tsotsis, essa era uma boa filosofia para seguir. O último dos quatro delinquentes tinha acabado de chegar à sala de jantar, quando a janela se fechou atrás do grupo repentinamente. Entreolharam-se em silêncio, com os olhos arregalados. A casa estava quente como uma sauna, e havia um forte aroma de ervas. Ficaram paralisados naquele lugar, sem saber quais seriam seus próximos passos. Então, Nonceba saiu do quarto carregando um pote de cerâmica. Ela polvilhou os ingredientes do pote pela casa. Aparentemente, não percebeu a presença deles. Estava falando sozinha em uma língua que eles não compreendiam. O som daquele idioma causou-lhes calafrios.

Ela entrou no banheiro, e cães começaram a uivar, o que fez com que os rapazes, sobressaltados, se colocassem em ação. Um deles subiu em uma cadeira e tentou abrir uma janela, mas não conseguiu desemperrá-la. Assim, foram até a porta e fugiram aos tropeços, apavorados demais para emitir qualquer som. Ninguém jamais soube o que causou a conversão daqueles quatro delinquentes em religiosos abstêmios. Nem mesmo eles falavam sobre a noite em que tentaram atacar Nonceba.

8

Zola não ficou com Skwiza por muito tempo. Com a ajuda de alguns dos clientes de Skwiza que encontraram espaço e material, um barraco foi rapidamente construído em uma nova favela que brotava nos arrabaldes de uMkhumbane. Ela estava magoada e temia pela sua filha. Histórias de crianças sendo violadas a faziam trabalhar depressa para tirar Mvelo do bar e do perigo. Zola era quieta por natureza, mas agora, em sua dor particular, o seu silêncio estava carregado de medo, raiva e decepção. Era tão profundo que não conseguia sentir. Ela simplesmente manteve o foco em sua sobrevivência e em dar um lar para Mvelo. Começou a procurar trabalho e a vender roupas usadas na cidade.

Passavam por momentos difíceis, principalmente quando chovia. A água entrava pelas rachaduras nas paredes. A natureza era cruel. Zola sentia-se como se Deus estivesse cuspindo nela e em sua filha. Durante horríveis tempestades com ventos inclementes, ficaram com o coração apertado, rezando para que o seu barraco não fosse arrastado pela ventania. O vento era como um brutamontes que as intimidava distribuindo encontrões.

E, então, vieram os odores. Uma repugnante combinação de comida estragada e urina. Tinham um vizinho com problemas estomacais e ouviam todos os laboriosos sons que ele fazia ao se aliviar no balde. Havia apenas seis latrinas na área, e as pessoas precisavam improvisar com baldes, principalmente à noite.

Em algumas noites, certos sons causavam grande desconforto em Zola. Ela sentia-se particularmente infeliz por Mvelo ter que escutar aqueles barulhos, e ligava o rádio para abafar os gemidos da casa ao lado. Nunca explicou por que seus vizinhos às vezes faziam aqueles ruídos. Mvelo, sempre perspicaz, não insistiu no assunto, porque sabia mesmo antes de questionar que não deveria fazer a pergunta.

O primeiro inverno que passaram na favela foi terrível. Sobreviveram a três incêndios causados pelos fogões de querosene dos vizinhos. Zola e Mvelo foram salvas pelo fato do seu barraco ficar junto à rua. Aqueles que moravam no interior da favela sempre tinham que começar do zero, ficando apenas com as chapas de ferro que resistiam ao fogo.

Em um dos incêndios, um menino morreu. Estava dormindo quando o fogo se alastrou. Quando a sua mãe foi correndo do bar para o barraco, era tarde demais.

Era óbvio pelos estrondosos gritos de agonia da mulher que alguém, em algum lugar, teve azar na vida. Tiveram que imobilizá-la para impedi-la de se atirar nas chamas. Foi uma cena comovente. Seu vestido voava, revelando calçolas com grandes buracos à mostra, enquanto lutava contra aqueles que a impediam de chegar ao filho.

Os jornalistas já estavam na espreita com câmeras, blocos de notas e as mesmas velhas perguntas de sempre para a mãe em sofrimento. "Como você se sente com a morte do seu filho no incêndio?".

"Meu filho morreu queimado até virar carvão, como você acha que eu estou me sentindo, porra?", gritou a mulher aflita, despejando insultos nos jornalistas acovardados. No dia seguinte, as manchetes do jornal perguntavam quem deveria ser responsabilizado por essa violência estrutural. Zola alertou a Mvelo sobre os perigos de brincar com fósforos e qualquer coisa que pudesse começar um incêndio.

Sipho ficou na dele por um tempo, esperando até que Zola se acalmasse, quando então resolveu visitá-las. Ele se ofereceu para ajudar na escolarização de Mvelo e contribuir com coisas para o lar. O que ele sentia por Zola ia além de uma relação amorosa normal. Havia uma espécie de responsabilidade familiar.

Sua oferta fez aflorar em Zola todos os sentimentos reprimidos de raiva e menosprezo. Ela pôs-se a gritar com ele repetidamente: "Nós nos conhecemos durante metade da minha vida, todos aqueles anos em que você disse que me amava, e quando eu finalmente aceitei e abri o meu coração para você, Sipho, o que foi que você fez? Você me agradeceu cuspindo no prato que comeu". Havia uma amargura em sua voz por toda a raiva, o medo e a confusão que lhe causava o fato de Sipho agora amar outra pessoa.

Tentou atingi-lo com potes e atirou pratos em sua direção. Ele esquivou-se e foi ao encontro dela, tomando os golpes que Zola distribuía até que ela desabou exausta sobre seu peito, chorando como uma criança. Ela a embalou até adormecer, e os três dormiram até que ele acordou no meio da noite.

Cobriu a mãe e a filha com um cobertor e deixou um chumaço de notas de duzentos rands para se livrar da culpa e se convencer de que ainda era um cara legal. Então, saiu a caminhar pela noite prateada, sob a luz da lua.

Houve uma vez em que ele pediu para a pequena Mvelo olhar para a lua e dizer o que ela enxergava dentro. Estavam deitados com as costas sobre o gramado de sua casa. "Parece que tem alguém morando lá dentro", ela disse e sentou-se para olhar em seus olhos à espera de uma confirmação.

"Hm, sim, acho que sim. Parece uma mulher carregando um bebê nas costas e lenha sobre a cabeça", ele disse, esboçando o desenho com seu dedo. Disse de uma forma tão convincente que a pequena Mvelo realmente conseguiu ver o que ele havia explicado.

"Sim, também consigo ver", ela disse, pulando animadamente para cima e para baixo até ficar tonta.

Ele deu uma risada e os dois tiveram um ataque de riso. Zola ficou lá parada, divertindo-se em silêncio, mas tentando ser severa, repreendendo os dois por fazerem barulho à noite como se fossem duas bruxas à solta. Sipho pensou nostalgicamente nessa época enquanto voltava para a sua casa, que agora dividia com Nonceba.

Depois de alguns meses, Zola percebia que Mvelo sentia muita falta de Sipho e queria vê-lo. Ela cedeu porque não suportava ver sua filha suspirando, e permitiu que ela visitasse Sipho e Nonceba na casa dele. Foi um ponto alto para Mvelo, que superou a raiva do rompimento com a sua mãe e voltou a amar a única figura paterna que conhecera. Foi desconfortável no início, pois Mvelo tinha um ressentimento declarado por Nonceba. Secretamente achava que

Nonceba era a mulher mais linda que já havia visto e queria ser amiga dela, mas sua lealdade pertencia à mãe rejeitada. Agia com o intuito de fazer com que a mulher de Sipho sofresse, mas não estava funcionando. Em vez disso, Nonceba a desarmou com seu charme e parecia saber exatamente as coisas de que Mvelo mais gostava. Não demorou muito até que virassem grandes amigas. Mas manteve as aparências com sua mãe. Com Zola, ela agia como se não achasse Nonceba grande coisa.

Mvelo tinha se adaptado à vida na favela. Brincava com as crianças do lugar, mas não gostava quando as crianças das casas de alvenaria olhavam para ela com desdém na escola. Aprendeu rapidamente que as crianças podem ser malvadas. Aprendeu também a rejeitar essas crianças antes que elas a rejeitassem. A garotada da favela se mantinha unida, dando conforto e até mesmo confiança a ela.

Um pesquisador da Inglaterra veio fazer um estudo na favela e ficou surpreso de ver que os níveis de autoconfiança daquelas crianças eram maiores que o de muitas das que moravam em casas de verdade. As crianças gostavam dele porque ele as presenteava com doces e bolinhos, mas Nonceba cortava o barato delas ao enxotá-lo.

Tinha visto aquele homem várias vezes quando vinha buscar Mvelo. Perguntou a Mvelo sobre ele, e ela lhe contou sobre suas perguntas e sobre como gostavam dos seus doces. "Ele fala como as pessoas da tevê", Mvelo disse a Nonceba.

Quando o estudo do pesquisador começou a circular nos jornais e nas estações de rádio, Nonceba achou que era hora de agir. As conclusões dele pareciam sugerir que a favela não era tão ruim assim; as crianças eram felizes e lidavam bem com a situação.

Pouco importavam as mortes nos incêndios causados por fogões de querosene, já que não havia eletricidade. Sem falar na falta de espaço ou privacidade, que deixava as crianças expostas aos atos sexuais dos adultos. Nonceba partiu para cima do pesquisador quando o viu novamente. "Não existem crianças na Inglaterra? Por que você tem que vir de lá até aqui pra fazer sua pesquisa?". Ele tentou argumentar, mas não era adversário para ela. "Você não me engana. Você não engana a elas também!", disse, apontando para as crianças. "Elas gostam das suas balas, não do seu estudo, e sacaram você muito bem. Elas dão respostas para se encaixarem naquilo que sabem que você quer ouvir".

Ela revelou as verdades indigestas e o tirou do sério com suas palavras afiadas. Então, assistiu tranquilamente enquanto ele fugia para o seu carro, furioso e com o rosto avermelhado, preparando-se para ir a alguma outra favela do continente, continuando a evitar os problemas do seu próprio país.

Mvelo ficou chocada e envergonhada, porque Nonceba tinha razão. Elas realmente respondiam de formas que deixavam o pesquisador contente, pois queriam os doces. Na favela, as crianças gostavam de imaginar casas felizes cheias de decorações. Consolavam-se com os sonhos, um mundo onde tudo é possível. Se os professores pedissem para que escrevessem uma redação intitulada "A minha casa", todas morariam em mansões com estábulos onde havia cavalos para serem cavalgados por colinas verdejantes. Seus pais, ainda que muitas não os conhecessem, eram os donos de fábricas de chocolates, onde podiam comer doces até passar mal. Suas mães, a maioria das quais eram domésticas, eram lindas, usavam roupas caras e perfumes. Em geral, as crianças imaginavam suas professoras.

Mvelo aprendeu muitas coisas com Nonceba, que adorava lenços para a cabeça e coloridas estampas africanas. Ela nunca comprava em grandes redes de lojas. Tudo o que vestia fazia com que parecesse bela. No início de sua adolescência, Mvelo era insegura por dentro, mas exibia uma aparência exterior diferente. Começou a imitar o estilo de Nonceba, na esperança de que também seria bonita como ela. Seus amigos riram dela e dos seus vestidos com estampas africanas, mas ela não se preocupava, porque Nonceba disse que não havia problema em ser diferente.

No começo, sentiu-se magoada com as risadas dos outros, mas começou a acreditar de verdade na possibilidade de sentir-se bem consigo mesma.

Inicialmente, foram as palavras de Nonceba que lhe deram força, mas logo sua própria voz interior começou a ganhar confiança. Começou a se olhar no espelho e perceber que jamais poderia ser como Nonceba. Era mais escura, seu cabelo mais encrespado, e seu nariz mais largo. Seus quadris e seus glúteos também estavam ganhando volume. Mas sua aparência não era mais motivo de repulsa para ela, como já havia sido. Agora, era motivo de curiosidade e entusiasmo.

Nonceba tomou a decisão de falar em sua língua materna. Ela respondia em isiXhosa aos seus outros colegas negros do escritório de advocacia, que preferiam falar inglês, mesmo entre eles. IsiXhosa era sua língua. Ela e sua avó usavam entre si quando se mudaram para os Estados Unidos.

Era a única coisa que sua avó Mae tinha para se agarrar depois que desistiu e resolveu voltar ao país onde havia nascido. Não queriam se esquecer de que eram africanas. Mae descartou seu sobrenome, Wilson, e declarou-se orgulhosamente como Sra. Mae Hlathi quando se casou com o avô de Nonceba, o médico.

Às vezes, Sipho sentia pena dos estagiários no escritório.

Apareciam com um brilho no olhar, dispostos a fazerem qualquer coisa para ter Nonceba como sua mentora, por ser uma americana de pele clara. CJ, cujo nome verdadeiro era Cetshwayo Jama Zulu, recebeu a resposta habitual de Nonceba. Veio com um sotaque pseudoamericano, achando que poderia paquerar Nonceba com seu charme que sempre funcionou na faculdade.

"Certo, primeiro vamos saber mais sobre você. Qual o seu nome completo?", Nonceba perguntou, enquanto olhava para seu currículo que trazia apenas CJ Zulu no espaço do nome.

"Meu nome é CJ", disse Cetshwayo.

"Eu posso ver isso", ela disse, "mas qual é o seu povo, CJ?". Ele parecia confuso.

"O que eu quero dizer é: se eu tirasse essa pose de malandro de você, quem é que eu iria encontrar?". Agora, CJ começava a perder a cabeça. "Olha, cara, dá um refresco pro irmão aqui. Só quero terminar meus créditos e arranjar um emprego pra ganhar uma grana, entendeu?".

"CJ, você já morou na América?". Nonceba gostava de cortar o papo-furado.

Os olhos de CJ brilharam. Não havia elogio melhor para ele do que isso: uma americana achando que ele era de verdade. "Ah, não, princesa. Isso aí eu fui pegando naturalmente", disse, com o sorriso maroto que revelava toda sua tolice.

"Em primeiro lugar", Nonceba já estava de saco cheio de ter o seu tempo desperdiçado, "não sou sua princesa. E, em segundo lugar, você não engana ninguém a não ser você mesmo com essa bobagem, Cetshwayo Jama Ka Zulu. Ouça o som do seu nome. A língua Nguni do sul é uma coisa linda. Por que você quer fingir que é um americano fajuto?

Você descende de uma longa linhagem de pessoas orgulhosas, mas, em vez disso, você escolheu seguir o caminho dos sotaques fingidos e de uma existência sem raízes. Você chama as mulheres de vagabunda e acha legal andar por aí com seus amigos chamando os outros de *negão*. Será que você consegue ao menos entender a dor que está pulsando nessa língua híbrida que você tomou para si, como se fosse sua?

Cetshwayo, você não sabe a sorte que tem. Menino, você me dá vontade de chorar pelos seus orgulhosos ancestrais. Você pode seguir seu parentesco no passado através do seu nome. Você pode seguir o rastro do seu parentesco até Shaka, o lindo filho de uma valente mãe chamada Nandi, sua tia Mkabayi, que governou estrategicamente o reino Zulu nos bastidores, indo até mais longe para o seu avô, Jama ka Ndaba.

Deixe essas coisas que você não sabe para a televisão. Posso ver que você é inteligente, sua carta de apresentação mostra isso. E quero dar uma chance a você. Quero que você seja nosso estagiário". Então, deu um sorriso e estendeu sua mão a Cetshwayo, que estava agora totalmente mudo, como se sua língua tivesse sido arrancada.

9

Aos poucos, Zola foi deixando o orgulho de lado e permitiu que Sipho a auxiliasse nas mensalidades da escola de Mvelo e com uma mesada. Mas, quando ele disse que queria mandar Mvelo para uma boa escola na cidade, ela recusou veementemente. Pelo menos daquela vez, Nonceba e Zola concordaram.

Ainda que o raciocínio de Zola tenha sido diferente do raciocínio de Nonceba: ela estava preocupada com as condições de vida da sua filha, temendo que as crianças com pais ricos debochassem dela por morar em eMkhukhwini — os barracos — enquanto elas moravam em lugares sofisticados.

Nonceba ficou surpresa ao ver que Sipho queria mandar Mvelo para um sistema que iria gradualmente envenená-la, da mesma forma que envenenou CJ. "Lá, ela vai ter um ensino melhor. Por favor, não vamos discutir nesse ponto, Nonceba", ele suspirou.

"Mas, Sipho, você sabe o que acontece nessas escolas. As meninas tomam laxantes para ficarem com as barrigas secas como as de bailarinas. Ela vai desaprender tudo o que já aprendeu sobre ela até agora. Vai querer fazer plástica para ficar com o nariz mais fino e vai fazer de tudo para ser notada". Ela lembrou Sipho de que a prima dele das regiões remotas de eMpendle, Nomusa, tentou se matar depois de ter sido matriculada em um internato particular, onde achou que não se encaixava mais em lugar nenhum.

O suicídio sempre tocava em um ponto delicado de Nonceba. Sua mãe afogou-se no oceano. Ela tinha apenas um ano de idade, mas conhecia o terror e o choque da situação.

Sipho tentou argumentar com Nonceba, dizendo que Mvelo era diferente e mais forte que Nomusa. Mas ela não se convenceu. "Qual o problema das escolas daqui, onde as amigas dela estudam?", perguntou, desafiando Sipho. Ele disse que as escolas do distrito eram mal equipadas, que os professores não tinham bom treinamento e que as crianças comportavam-se mal. "E não se comportam mal nas escolas particulares? Você vê as garotas das escolas dos distritos vomitando e cagando até não poder mais só para serem magras?".

"Não, mas vejo essas garotas engravidando, Nonceba. Não uma ou outra, mas várias", Sipho rebateu.

"As garotas nas escolas particulares também engravidam. A diferença é que elas vão numa Marie Stopes e fazem aborto".

"Então quer dizer, Nonceba, que é melhor povoar o distrito do que ir a uma clínica?". Ele estava exasperado. Os argumentos dela sempre contrariavam o senso comum.

"O que eu quero é saber por que você leva tanta fé nas escolas particulares e nas escolas Modelo C? Os pais da classe média negra como você tinham que voltar os esforços para as escolas públicas, as mesmas escolas que vocês frequentaram aqui, não na cidade. Por que gastar milhares de rands em mensalidades, transporte, excursões intermináveis e até no salário de professores particulares quando se pode arrumar uma escola aqui e deixar as crianças aprenderem durante doze anos, gastando menos de dois mil rands por ano?

Que diabo, as mensalidades das faculdades não são nada perto da garfada que dão nessas escolas particulares. Você não vê a mensagem que querem passar? Eles querem manter a ralé longe com as mensalidades. Criança nenhuma vai ter uma neurose por ser negra em uma escola da região.

Toda essa gente instruída não deveria estar apostando as fichas nas escolas particulares só por serem chiques e morarem na cidade. Seus recursos deveriam ser investidos aqui. Não vamos ter um problema de classes aqui, esse novo racismo onde alguns negros são chamados de chefe e de madame. O apartheid contra o qual a massa lutou, e que agora está sendo repetido por ela mesma. O que quero dizer é que eu quero proteger Mvelo. Quero que ela se sinta completa. Se ela precisar aprender inglês, eu vou ensinar inglês pra ela juntamente com o que ela estiver aprendendo na escola do distrito. E vou ensinar a ela a história que ela precisa aprender, não a versão que eles vão ensinar, na qual Shaka é um canibal implacável. Vou dar presentes a ela que eu tive a sorte de ganhar da minha avó, que não estão nas páginas de nenhum livro de história".

Ela o envolveu sedutoramente com seus braços e ele se derreteu. Concordou com tudo o que ela havia pedido. A primeira ordem do dia para Nonceba seria — com a permissão de Zola, é claro — acompanhar Mvelo até a escola. Queria conhecer os professores e se apresentar. Depois de Nonceba trocar apertos de mãos com todos eles, Mvelo percebeu que ela havia notado algo sobre o professor de História, o Sr. Zwide. Nonceba havia pedido para ter uma conversa com ele em particular. Ele deve ter tido a tola impressão de que Nonceba flertava com ele, após recolher sua língua que estava praticamente caindo para fora da boca.

Estava enganado. O que Nonceba queria era dar um aviso. "Ouça muito bem, Sr. Zwide. Estou de olho em você. Estou vendo que você abusa da sua autoridade e que se aproveita dessas adolescentes. Saiba que se alguma vez você ousar olhar para Mvelo de um jeito estranho, vou pra cima de você com tudo".

Em meio a Zola, Sipho e Nonceba, Mvelo estava segura.

Quando Nomagugu, uma estudante de Teatro da Universidade de Natal veio pregar o renascimento de tradições como testes de virgindade, Zola disse que Mvelo deveria ir. Falou que era uma boa medida para protegê-la de garotos e tarados à espreita. Ela relutantemente foi, para deixar Zola contente, mas sentia que aquilo a colocava em perigo imediato e a transformava em um alvo, como um filhote separado da manada. Em segredo, ela perguntou a opinião de Nonceba sobre o assunto, que, é claro, enxergava a questão por outro ângulo. "Acho que as virgens têm algo de muito poderoso. Você já notou que a maioria das religiões enfatiza a virgindade? Eu sei que passam a impressão de que estão tentando controlar a sexualidade das mulheres, mas, se você escolher ser virgem por quanto tempo quiser, a escolha está nas suas mãos", ela disse. "Quando você perde a virgindade, não há volta. Nunca vai poder voltar atrás. Mas pode escolher quando perder e com quem vai querer fazer. Pode canalizar sua energia sexual em outras coisas, até que você se sinta pronta pra essa mudança. Entende?".

O que Mvelo gostava em Nonceba era a forma como as

coisas que dizia faziam sentido para ela, ainda que a maioria das pessoas a considerassem uma excêntrica.

Mvelo foi às sessões de teste de virgindade com clareza no pensamento. Estava fazendo aquilo principalmente por Zola e, mesmo assim, sentia que era dona de si. E como muitas garotas da sua idade, estava curiosa para ver o que e como era o teste. Descobriu que havia boas testadoras, que estavam preocupadas com o abuso infantil disseminado e que enxergavam os testes como a forma tradicional de resolver o problema. Outras, no entanto, estavam embriagadas com o poder e a atenção que recebiam da mídia. Correspondentes estrangeiros e tarados endinheirados amontoavam-se com câmeras para um circo carnal repleto de garotas imaculadas abrindo as pernas.

Jornalistas genuínos tomavam cuidado para não tirar vantagem, enquanto os voyeurs, babando, utilizavam lentes de longo alcance para focalizar o alvo com precisão, assim como fazem durante Umkhosi Wohlanga, a dança dos juncos, onde jovens princesas Zulus seminuas presenteiam juncos ao rei Zulu.

Para o teste, mulheres idosas formavam filas com as garotas de manhã cedo, normalmente perto de um rio. Elas deitavam-se em fila, cada uma acompanhada de uma examinadora, e abriam as pernas. Com dois dedos de cada mão, a examinadora forçava a abertura dos lábios de suas vaginas, procurando por um "olho"; a vagina de uma virgem é fechada, como um botão de uma flor, que lembra um olho. Ao encontrar o olho, a examinadora erguia-se, posicionada no vão entre as pernas da virgem, e assentia positivamente às outras. Haveria então muitos uivos de alegria das vovós. Elas recebiam certificados por escrito e eram marcadas com um ponto em suas testas, indicando que ainda eram puras.

Na favela de Mvelo, ela ficou conhecida como "a virgem". Presa fácil. Como uma zebra correndo em meio às gazelas: marcada.

Sentiu pena das garotas que haviam perdido a virgindade, mas que tiveram que participar dos testes por temerem seus pais. Às vezes, achavam formas de enganar as testadoras, usando um pedaço de fígado cru bem posicionado para dar a impressão de um hímen ainda intacto. Algumas usavam o giz do quadro negro da escola. Era um caso triste, pois pegavam doenças. As verificadoras acabaram descobrindo a prática, e as garotas eram humilhadas em frente a uma multidão de espectadores. Então, havia os predadores que caçavam virgens, pois circulavam boatos de que um homem soropositivo ficaria curado se dormisse com uma delas.

Um genocídio de meninas e mulheres iniciou-se com o estupro que homens desesperados perpetravam. As garotas eram estupradas por toda parte. Antes de Mvelo chegar em casa, aprendeu formas de se proteger, removendo o ponto branco de sua testa. Não precisava de uma prova exterior para ter orgulho de si.

A cada três meses, Mvelo participava do teste. Parou de ir no dia em que uma das garotas mais velhas foi descoberta como tendo sido "arruinada". Era assim que as verificadoras chamavam as garotas que não eram mais virgens. A garota estava prestes a se casar com o ancião de uma igreja, o qual exigia prova de que era "intocada".

Havia tensão no ar. A garota escolhida pelo líder tradicional, que tinha idade suficiente para ser seu avô, carregava um fardo em seus ombros. Não queria se casar com o velho. Estava apaixonada por um rapaz da sua idade e se entregou a ele por vontade própria. Como era possível alguém dizer que ela havia sido "arruinada"? Estava apaixonada. Seria diferente se tivesse sido estuprada.

Ela não tentou esconder, apenas deitou-se e deixou que a examinadora a cobrisse de cusparadas e insultos. Então, começou a uivar em um pranto. Foi humilhante. Após o teste, a garota partiu rumo aos trilhos do trem, onde se deitou e deixou que o trem a arruinasse e levasse embora a sua vida.

Mvelo desmaiou naquele dia. Estava aborrecida e confusa com o que se passava ao seu redor. Acordou em casa, com o ponto do orgulho ainda em sua testa. Tirou a marca e disse a Zola que nunca mais iria voltar.

A maioria das garotas na favela foram arruinadas pelo estupro. Essas garotas carregavam um fardo sobre os ombros. Como poderiam dizer às suas mães que as pessoas em quem confiavam, os parentes, os amigos da família e os seus "tios", amantes de suas mães, eram quem as molestava?

Mvelo começou a se ressentir dos testes, pois não se importavam em saber o porquê das garotas estarem "arruinadas", a não ser quando eram muito jovens. A epidemia de estupro era tão disseminada que certas mães traziam crianças extremamente jovens como uma medida de precaução contra o abuso. Os "tios" evitavam crianças que eram testadas. Não queriam correr o risco de serem descobertos.

Quando Mvelo parou de ir aos testes, colegas acharam que ela havia sido arruinada. Por que pararia de ir agora? Mas ela estava determinada em não deixar a fofoca incomodá-la.

10

Mvelo começou a desabar com a notícia de uma morte em 2002. A avó de Nonceba morreu de causas naturais nos Estados Unidos. Era a primeira vez que Mvelo tinha visto Nonceba tão perturbada. Estava fora de si, abalada pela dor, e Sipho a observava impotente sem saber o que fazer para consolá-la. Ela teria que viajar para o enterro de sua avó.

Estava óbvio que a viagem demoraria um certo tempo. Ela precisaria cuidar de todos os assuntos de sua avó e ficar de luto. Quando partiu, prometeu enviar lições adicionais de matemática a Mvelo e pacotes cheios de presentes dos Estados Unidos pelo correio. Por orgulho próprio, Zola nunca se comunicava com Nonceba, mas tampouco interferia na amizade que sua filha tinha com ela. Nonceba enviou os pacotes endereçados para a escola de Mvelo e continuou a manter contato com os professores para garantir que seu ensino não seria prejudicado.

Sipho tentou vender sua casa. Ficou perdido sem Nonceba por perto. Temeu que ela não voltasse mais e, assim, começou a fazer planos para ir atrás dela nos Estados Unidos. Ninguém queria comprar sua casa em Mkhumbane, pois havia boatos de que Nonceba praticava feitiçaria. Isso não impediu Sipho de ir a seu encontro. Ele deixou a casa aos cuidados de seu irmão, Mzkhona, que era muito diferente de Sipho. Era como uma pilha de destroços carregada por um rio, que se movia conforme o ritmo da correnteza, embriagado da manhã até a noite. Sipho fez as malas e partiu para se encontrar com Nonceba.

A avó de Nonceba, Mae, deixou a América rumo à África em busca de algo que já possuía. Conseguia traçar suas origens até os escravos da África Ocidental e os povos nativos da América do Norte que viviam da caça de búfalos. E, então, houve o execrável horror das violações de escravas pelos seus senhores, o que a tornou menos africana e mais exótica, de tal modo que parecia ter vindo de uma terra desconhecida. Crescendo no Idaho, estado americano produtor de batatas e quase que exclusivamente habitado por brancos, Mae não se encaixou. Assim, partiu em busca de um lar.

Primeiramente, foi às reservas indígenas. Mas deprimiu-se ao assistir à ruína de um povo que já estivera tão próximo à natureza e que então se amontoava em uma pequena parte de um vasto território por onde antes rondava livremente. Ficava furiosa com o álcool e o jogo, que tomavam sua esperança à força. Assim, a África tornou-se o seu destino para buscar um lugar onde se sentiria em casa. Seu objetivo era achar o homem mais negro que pudesse encontrar, que faria com que suas crianças fossem negras, para que não tivessem a crise de identidade que ela teve.

As garotas negras normalmente passavam pelos homens mais escuros com o nariz empinado, mas Mae sentia-se atraída por eles com um intenso magnetismo. Encontrou um homem que era dos orgulhosos Tshawe, Phalo,

Hintsa, Gambushe, Majola e Thembu, os líderes Xhosa. Não precisou ir muito longe. Ela o encontrou no avião, antes mesmo de pousar na África.

Ele estava voltando para a casa depois de ter estudado nos Estados Unidos por alguns anos, ajudado por bolsas estudantis fornecidas por missionários. Sentiram-se atraídos um pelo outro como duas almas ancestrais, arrebatadas por uma sensação de déjà vu.

O plano dela de iniciar uma peregrinação do pé da Mãe África, na Cidade do Cabo, até a cabeça, no Egito, foi engavetado no ato. Gugulethu Hlathi não podia ser mais grato aos seus ancestrais por terem trazido essa inesperada e linda mulher até ele.

Quando os dois se conheceram, foram a realização dos sonhos de cada um. E então, sua filha Zimkitha, "Bela", a mãe de Nonceba, nasceu. Estabeleceram-se em um vilarejo tranquilo perto da Costa Selvagem da África do Sul. Zimkitha foi a resposta às preces de Mae. Negra o bastante para ser considerada africana, com rebeldes maçãs da face elevadas e olhos cor de avelã dos indígenas norte-americanos, ela se encaixava confortavelmente na comunidade negra. Não precisou aguentar a crueldade pela qual passou a sua mãe. Pessoas mais escuras admiravam a tonalidade mais clara de sua pele e a tratavam bem. As crianças queriam fazer amizade com ela, e professores a tratavam com carinho extraespecial.

Mas foi no final da sua adolescência que os problemas começaram. Assim como uma mula jovem, ela não podia ser domada, e as incandescentes revoltas políticas da época não contribuíram.

Seus pais a ensinaram que poderia ser qualquer coisa que quisesse. Não conhecia as restrições dos regramentos impostos aos negros. A linda Costa Selvagem não era grande o bastante para ela e estrangulava o seu espírito livre. Com os acontecimentos que levaram ao Levante de Soweto, ela se livrou das amarras de sua mãe protetora e seu pai ditatorial. Mudou-se para Johannesburgo, fixando residência na cosmopolita e inter-racial Hillbrow, lugar onde ela e uma série de jovens brancos liberais e frustrados identificavam-se como adeptos da desobediência civil.

Influenciados por Gandhi e por Martin Luther King Jr., transgrediam as regras pacificamente. Quando eram abordados e retirados à força de bancos destinados apenas para os brancos, começavam a cantar e a dançar. Zimkitha adorou aquilo, mas um trabalho mais sério estava acontecendo nos bastidores. Estavam apenas distraindo a polícia para que não descobrissem os jovens revolucionários que mobilizavam frentes no cenário local e internacional para libertar a África do Sul.

Uma parte das razões que levaram Zimkitha a dormir com Johan Steyn foi simplesmente porque havia sido proibida de fazer isso. E depois, ela estava na cadeia, grávida de Nonceba, a filha de Johan. Foi presa, enquadrada no Ato da Imoralidade, depois de ser pega com o filho de um conhecido pastor africâner.

Viu a polícia se aproximando e desafiou Johan a beijá-la na frente deles. Ele se apavorou com o seu pedido. Justamente quando ele estava prestes a virar as costas e sair correndo, ela o agarrou e beijou-lhe intensamente. A verdade era que ela nunca amou Johan de verdade. Seu relacionamento com ele era só uma parte de sua rebelião.

Johan era retraído, o que fazia com que Zimkitha se sentisse frustrada. Suspeitava de que, no fundo, ele ainda estivesse sob o efeito da doutrinação do apartheid. Seu relacionamento com ele foi o começo de sua queda. A prisão enrijeceu seu coração e deixou seu espírito despreocupado cheio de medo. Ter uma filha matou os seus impulsos aventureiros.

Ao beijar Johan em público, ela pressionara os botões certos. Os policiais imediatamente jogaram Zimkitha na cadeia e deram uma dura em Johan, dizendo que ele era uma desgraça por se relacionar com uma kaffertjie. Mas ele não teve a coragem para defendê-la. Podia sentir os olhos dela ardendo pelas suas costas quando foi embora, constrangido e com pensamentos conflitantes. Ela pensou que seu ato iria libertar o revolucionário que estava oculto dentro dele, mas havia calculado errado. Achou que ele não deixaria que ela fosse presa com um bebê na barriga. Quando ela o viu baixar a cabeça em sinal de vergonha, sentiu a dor penetrante da traição. Desobedecer à lei já não era mais um jogo.

Enquanto ia embora, cada passo que ele dava rompia ainda mais seu vínculo com Zimkitha. Agora, tinha a noção de que havia feito algo profundamente imoral.

Escreveu cartas para ela compulsivamente, mas nunca as enviou. Nas cartas, pedia desculpas de novo e de novo pela sua fraqueza e sua incapacidade de enfrentar o que sabia ser errado. "O que você nunca entenderá é o quanto é difícil para mim ver a decepção nos olhos do meu pai. Ele é um orgulhoso homem de Deus e acredita que a vontade divina é que negros e brancos jamais fiquem juntos. Eu nunca poderia contar a ele que engravidei você. Não suportaria perder o amor e a confiança dele. Sou o primogênito de cinco filhos. Eu me sentiria morto por dentro se meus irmãos me olhassem com desprezo. Fui um bom filho antes de sair de Bloemfontein para vir a Johannesburgo. Acreditei nas teorias do meu pai até você se sentar na minha frente naquele dia. Seu riso despreocupado e sua atitude destemida me assustaram, mas, ao mesmo tempo, eu me senti atraído por você. Você entrou num bar onde só os garçons — e não os clientes — eram negros. Contudo, você estava lá, uma mulher negra, linda e sedutora. Não acho que você tenha reparado em alguém lá, muito menos em mim. Nós éramos apenas rostos brancos bebendo cerveja, e você estava com suas amigas, brancas liberais, causando encrenca ao entrar em um bar onde você sabia que sua entrada não era permitida. Nossas fantasias secretas, dignas de vergonha, ficaram expostas enquanto trocávamos olhares lascivos abertamente. Então você e suas amigas levantaram-se para dançar, com os seus quadris rodopiando, como se estivessem na sala de estar de sua casa. Uma garota no grupo colocou o braço ao redor da sua cintura e vocês dançaram perto uma da outra, com os corpos grudados. Minha cabeça começou a girar enquanto eu assistia em silêncio. Foi a esposa do dono do bar que cortou nosso barato. Apagou o fogo do marido, que estava praticamente babando, com um tapa, e expulsaram você e suas amigas de lá à força. Afastaram você do bar, mas não de mim. Eu segui o grupo até que tive uma oportunidade de me infiltrar na sua vida, fazendo amizade com uma de suas amigas e fingindo lutar pela mesma causa.

Não consegui enganar você, no entanto. Demorou até você baixar sua guarda para mim. Você entrou suavemente na minha vida e me deixou de ponta-cabeça".

Johan escrevia essas cartas a Zimkitha para evitar que ficasse louco. Guardou-as, na esperança inútil de que um dia fosse se reencontrar com ela. Fantasiava com ela lendo as cartas e o perdoando.

Antes de Zimkitha, a única pessoa que ameaçara romper sua percepção preconcebida sobre os negros foi Sihle, o único estudante negro que cursava Medicina com ele. Os missionários lutaram para colocá-lo em uma universidade que não aceitava negros em suas salas de aula, onde os professores lecionavam a ele com relutância, ainda que secretamente desejassem que Sihle não fosse tão inteligente como era, já que ele provava que suas ideias sobre a mentalidade da juventude negra estavam equivocadas. Sihle sentia isso, mas sua determinação de completar os estudos era mais forte do que qualquer discriminação que precisasse suportar.

Johan agora relembrava, com sentimento de culpa, como ele havia sido uma das pessoas que infernizaram a vida de Sihle.

Se ele alguma vez tivesse uma segunda chance com Zimkitha, seria corajoso o suficiente para enfrentar seu pai e sua família? Foi consumido pelos seus pensamentos e tornou-se um vulto do seu antigo eu interior. Começou a funcionar como se estivesse no piloto automático, terminando seus estudos na Universidade de Witswatersrand. Porém, sua mente mal estava presente. Viciou-se em comprimidos para dormir, tomando vários noite após noite, sempre que os olhos de Zimkitha reapareciam para ele.

Quando sua família sugeriu Petra, a filha de outro pastor, como sua esposa, ele não fez objeção. Estava cansado de lutar. Substituiu os comprimidos para dormir por anestésicos mais fortes. Era um médico, repetia a si mesmo. Não era um viciado qualquer.

Petra sabia que competia com algo poderoso pelo afeto de seu marido. Afundou-se na sua própria depressão, num casamento sem amor e sem filhos. Buscou consolo no fato de estar casada com um médico, com uma família que aparentemente amava Deus. Não ousava ir mais a fundo. O que estava à espreita, escondido por baixo da fachada tranquila, era assustador demais.

Zimkitha desabou quando eles a jogaram em uma cela escura e silenciosa e a deixaram lá durante meses. O único som era uma torneira que pingava, dia após dia. Ela se desesperou e fez um plano, aguardando o momento certo para executá-lo. Na manhã que entrou em trabalho de parto, agarrou-se à mão que apareceu para lhe entregar a refeição do dia. Afundou seus dentes, fechando seu maxilar na mão como se fosse um pitbull. Os gritos de agonia da carcereira fez com que outros viessem a seu socorro. Abriram a cela e se defrontaram com o penetrante odor da urina empoçada de Zimkitha, e o pavor do sangue em sua boca. Parecia um animal raivoso, com uma vasta e espessa cabeleira de fios desgrenhados cobrindo a maior parte de seu rosto.

Exatamente naquele instante, sua bolsa rompeu. Perplexos, tiveram que agir.

Enquanto alguns socorriam a carcereira ferida, outros tratavam de ajudar Zimkitha a trazer Nonceba ao mundo. Uma vida nova tem o poder de fazer mesmo os corações mais frios se esquecerem de tudo. Zimkitha decidiu batizar o bebê de pele dourada de Nonceba, "mãe da compaixão".

A criança tornou-se o seu passaporte para a liberdade, mas aquela experiência a deixou fragilizada demais para seguir em frente. Ela deixou Johannesburgo e voltou para a casa da sua mãe no Cabo Oriental. Seu pai havia enlouquecido de preocupação quando soube de sua prisão, o que o levou a participar da luta e a liderar greves.

Foi morto a tiros por lutar pela liberdade da filha. Então Mae começou a falar sobre retornar aos Estados Unidos, mas Zimkitha simplesmente recusou. Tinha escutado as histórias da mãe sobre o quanto ela havia sofrido por lá e não queria ir para outro país onde seria maltratada pelo povo local.

Não estava conseguindo lidar com o bebê e com a incessante matança dos revolucionários. Tornou-se apática. Sua chama interior havia se apagado e a luta tinha sugado suas forças. No primeiro aniversário de Nonceba, enquanto sopravam as velas do bolo e batiam palmas para os gritinhos alegres e pueris da garotinha, o rádio anunciou um massacre na linha férrea. O locutor falou de violência de negros contra negros, mas Zimkitha sabia que era muito mais do que isso. Os rostos da mãe e da filha foram tomados por um desânimo. Elas entreolharam-se, e Nonceba, por mais jovem que fosse, sentiu a mudança nos ânimos e começou a chorar. Sua avó a pegou no colo e se pôs a caminhar, tentando acalmá-la.

Zimkitha começou a tremer. Sentia-se afogada pela frustração. Não conseguia respirar. Mae segurou a neta mais perto do seu corpo e a embalou até parar a tremedeira. "Não sei por que achamos que poderíamos ganhar. Não sei nem por que lutamos contra isso", Zimkitha disse à mãe, entre lágrimas. A jovem Nonceba observava as duas com olhos tristes e arregalados. Mae desligou o rádio, e escutaram o som das ondas do oceano sussurrando ao fundo.

Zimkitha esperou até sua mãe levar Nonceba para o círculo de artesanato onde Mae trabalhava fazendo cestos com mulheres da comunidade.

Então, ela caminhou calmamente em direção às ondas.

11

Quando Sipho foi ao encontro de Nonceba nos Estados Unidos, uma reviravolta aconteceu. Ele sempre soube que ela era um vulcão adormecido e que não pouparia nada se tivesse a oportunidade. Quando ela o encontrou no Aeroporto O'Hare em Chicago, o ar gelado de fevereiro atingiu o rosto de Sipho como um soco do lendário Muhammad Ali. Ele queria voltar e pegar o próximo avião para a ensolarada África, mas Nonceba estava lá, radiante com a felicidade de poder encontrá-lo novamente.

Bastava olhar nos olhos de Nonceba para saber que, independentemente do que precisasse enfrentar na América, ele iria ficar, pois ela havia conquistado seu coração. Ela contou sobre o funeral da sua avó. Para se distrair da dor causada pela perda de Mae, ela havia começado a trabalhar no seu antigo escritório de advocacia. Disse que seria só por um tempo, enquanto resolvia como iria voltar a África.

Seu apartamento era grande, com janelas que davam para o Lago Michigan. Sipho ficou espantado de ver que ela havia deixado uma vida tão boa para ficar com ele em Mkhumbane. Isso lhe provocou boas risadas.

Quando ele chegou, ela fez um churrasco na casa de um amigo em Oak Park. Para chegar até lá, pegaram o metrô de superfície e entrecortaram a cidade por um labirinto de prédios altos, passando pela magnífica sede do jornal Chicago Tribune.

Sipho adorou Oak Park. Contou histórias sobre os encontros de amigos de Mkhumbane e do bar de Skwiza, e sobre a primeira vez que levou Nonceba lá. Enquanto falava, teve uma súbita compreensão de que seu lugar era Mkhumbane. Continuou falando, mas sabia naquele instante que não iria durar em Chicago se Nonceba decidisse ficar na América permanentemente.

O frio congelava os pelos dentro de suas narinas e algo perdia o equilíbrio em seu interior. Não estava acostumado a caminhar no gelo e não parava de cair, machucando sua bunda no chão gelado. E então, o seu cóccix começou a doer.

Ele dava risada e atraía o interesse de estranhos. Ao contrário dos tsotsis em Mkhumbane, essas pessoas eram diferentes. Não queriam nada dele. Não precisavam do seu dinheiro e não viviam na sua sombra por ele ser um advogado. Eles próprios eram advogados. Seus nomes eram acompanhados pelas letras PhD e conversavam um com o outro em um nível intelectual.

Sipho conseguia se virar com certo conforto entre essas pessoas inteligentes. Eles ficaram fascinados com ele, porque jamais imaginariam isso de um "africano da gema". Mas a máscara que ele precisava usar o deixava exausto. Sentia falta do bar de Skwiza e dos tempos em que desfrutava de conversinhas mundanas sobre o clássico de Soweto no futebol, com a cabeça embebida pelo uísque.

Ele adorou a vista do Lago Michigan, que reluzia à noite. Porém, frustrava-se com as luzes de neon que acrescentavam uma luz dourada artificial à superfície da água. Queria a luz prateada da lua, com a qual estava acostumado desde os tempos em que era um jovem crescendo em eMpendle. Para ele, o luar embelezava tudo. Sentia uma conexão espiritual com a lua. O Lago Michigan trouxe conforto a ele.

Ele teve dificuldade para arrumar emprego e afundou-se em uma crise que nunca julgou possível ter. O problema era ser um homem sustentado por uma mulher. Pela primeira vez na vida, sentiu o mesmo medo das mulheres que precisavam depender de homens. Começou a entender por que essas mulheres fariam qualquer coisa para mantê-los. Pensou em Zola e no quanto ela era diferente. Quanta coragem deve ter precisado para deixá-lo. O medo apertou seu coração como o ar gélido de Chicago no inverno. Sua risada já não era mais alegre e estrondosa.

Começou a se sentir inseguro perto de Nonceba, que estava ocupada subindo os degraus do implacável mundo corporativo. Trabalhava dia e noite, com o dobro da intensidade de quando estava com Sipho em Mkhumbane, e respondia com monossílabos nas conversas do casal. Não tinha mais tempo para passar com ele.

O frio também já estava afetando Sipho, que entrou em depressão profunda. Dormia o dia inteiro, odiando a ideia de ter que acordar para enfrentar mais um dia de céu cinzento. Não tomava mais banho, não trocava mais a roupa e não escovava os dentes. Isso foi a pá de cal que enterrou suas vidas íntimas. "Não sei o que fazer, ele não é mais o homem por quem eu me apaixonei", Nonceba falava com uma de suas amigas, com lágrimas no rosto. "Ele está acabado. Ele me dá repulsa agora. Dói dizer isso, mas agora eu tenho pavor de voltar pra casa e encontrar esse homem, que antes fazia eu me sentir como uma rainha".

Sipho havia se tornado tão grudento e inseguro que ficava escutando as conversas de Nonceba pelo quarto que apenas ele usava agora. Chorou em silêncio ao ouvir o que suspeitara, mas temia admitir.

Acordou no dia seguinte, depois que Nonceba tinha saído para o trabalho e se olhou no espelho. O que viu refletido foi a imagem de seu irmão, Mzokhona, os destroços do rio. Estava com o cabelo desgrenhado, os dentes amarelados e a língua saburrosa. Soluçou tomando um banho quente. A água teve um efeito revigorante, e ele decidiu arrumar a casa de Nonceba, depois de arrumar a si próprio.

Esperou até que ela voltasse para contar que voltaria para a casa. Queria estar onde tinha suas raízes. Sentia-se vacilante nesta terra estranha, como uma criança aprendendo a caminhar. Como um exilado, não podia mais rir. Era como se uma pedra estivesse esmagando seu peito, tirando todo o seu fôlego. Respirar aquele ar era doloroso. Sentia como se o gelo atacasse seus pulmões. Queria voltar ao seu trabalho, dar apoio jurídico e auxílio para aqueles que estavam às margens da sociedade em Mkhumbane e nas favelas vizinhas.

Era tarde da noite quando ela finalmente voltou para casa. "Eu sabia que um dia isso ia acontecer", ela disse. Sipho ficou sem palavras, e ela chorou.

E então, pela primeira vez em muito tempo, conversavam como nos seus primeiros momentos juntos. Ela se desculpou por voltar ao seu passado de workaholic. Também tinha parado para pensar e decidiu que também era hora de retornar à África do Sul. Mas era óbvio, para ambos, que cada um deveria seguir o seu caminho.

"Apenas me faça um favor", ela disse, enxugando as lágrimas. "Vou para o vilarejo do meu avô quando chegar à África do Sul. Não tente me contatar. Vou contatar você quando eu estiver pronta para te aceitar como um amigo, e não como amante".

Ela achava que tinha assuntos a resolver no país onde sua mãe tirou a própria vida, onde seu avô teve uma morte violenta e onde provavelmente ainda tinha um pai vivo.

Dormiram de conchinha sobre o carpete, como as crianças dos barracos que dividem uma cama de solteiro.

12

Quando Sipho voltou a Mkhumbane, sua casa era uma cena e tanto. Nos poucos anos em que esteve ausente, seu irmão havia conseguido destruir tudo. A televisão estava com um buraco, o micro-ondas tinha sido vendido e a energia elétrica havia sido cortada por falta de pagamento. Metade das suas toalhas e lençóis, que Nonceba comprara, foram vendidos. Os quartos foram alugados para os andarilhos do distrito. Usavam querosene nos fogões portáteis ou até mesmo lenha, como em um acampamento, para cozinhar no chão. A casa inteira cheirava a uma mistura de fumaça de querosene e madeira. As paredes estavam pretas, cobertas de fuligem. Até mesmo o banheiro era usado como quarto de dormir por dois meninos de rua.

O irmão de Sipho dava sinais de que havia sido consumido pela bebida. Parecia vários anos mais velho que Sipho, ainda que fosse dez anos mais jovem. Era difícil saber se tinha um sorriso de alegria ou sarcasmo em seu rosto quando revelava suas gengivas avermelhadas e seus dentes esverdeados. Foi surpreendido pela chegada não anunciada de Sipho e ficou com medo de como reagiria ao ver o estado do local.

Sipho ficou chocado com o que viu. Ele foi ao encontro da única família que conhecia, Zola e Mvelo, que estavam em seu barraco. Ainda estavam lá, morando em um lar acolhedor e bem cuidado.

Mvelo achou que estava sonhando quando ergueu os olhos e viu uma silhueta alta e familiar caminhando em sua direção. Um grito da alegria saiu de seu peito e ecoou pelo vale dos barracos. "É ele", ela gritou. "Ele voltou". "Mãe, o Sipho voltou!". Correu até ele e chocou-se contra o seu corpo. A risada dele foi uma alegria para ela. Zola parou na entrada e inclinou-se com força contra a porta. Tentou se manter neutra, mas não conseguia evitar o sorriso. Não queria demonstrar euforia demais. A história que compartilhavam havia ensinado Zola a ser cautelosa, mas o amor que sentia por Sipho continuava.

Nonceba não estava com ele, mas Mvelo se deu por satisfeita ao ver que pelo menos Sipho estava de volta. Ainda aproveitava os pacotes que Nonceba enviava.

Sipho divertiu Zola e Mvelo com histórias e as encheu de presentes dos Estados Unidos. Quando se deram por conta, já estava no meio da madrugada. Finalmente, a euforia do momento havia dominado Mvelo, que se rendeu a um agradável sono. Sipho e Zola renderam-se à atração trazida pela familiaridade de seus corpos, pelos velhos tempos.

Era uma linda manhã de sábado quando Mvelo acordou com Sipho e Zola debaixo do mesmo teto. Começou a nutrir falsas esperanças de que talvez pudessem novamente ser uma família. Zola cantarolava baixinho enquanto preparava o café da manhã para eles, como sempre fazia quando estava feliz. Sipho e Mvelo olharam um para o outro e sorriram. Ficaram felizes quando viram Zola cantar daquele jeito.

Depois de tomarem o café, todos foram para a casa de Sipho. Zola pegou dois baldes, uma vassourinha, detergente e sabão líquido para ajudá-lo a limpar a casa. Seu irmão havia visto o que estava escrito na parede e mandou os seus "inquilinos" desaparecerem, citando Nonceba nas suas ameaças. "É melhor vocês vazarem, a grande bruxa de Mkhumbane voltou. Arrumem outro lugar pra morar, porque aqui não dá mais". Falar o nome de Nonceba era como invocar uma palavra mágica. Desapareceram mais rápido que baratas ao verem a luz.

Alguns não a conheciam pessoalmente, mas as histórias que circulavam eram suficientes para que juntassem suas coisas e fossem embora. Sipho suspirou aliviado quando viu que não resistiram ao despejo. Seu irmão piscou para ele, satisfeito com seu pensamento rápido. Não houve nenhum pedido formal de desculpas entre os dois. Sipho molhou seu irmão com uma mangueira e o perseguiu alegremente pela casa enquanto ele fazia barulhos com a boca. A vida continuava. Era como um sanguessuga para Sipho, que não fazia objeção a essa inquestionável obrigação familiar. Era seu irmão.

Zola e Mvelo passaram o fim de semana limpando a casa e escovando as paredes. Os amigos de Sipho da taverna também foram ajudar quando souberam que ele havia retornado sozinho sem a companhia da bruxa. Seu irmão, naturalmente, esquivou-se de toda e qualquer responsabilidade. Pegou uma "gripe daquelas de derrubar" e, justo quando a casa voltou a brilhar, com seu antigo esplendor na semana seguinte, recuperou-se milagrosamente com uma sede insaciável de tomar uma gelada. Revigorado, ele agora tinha força suficiente para implicar com Zola mais uma vez. "Agora que meu irmão voltou, você sabe quem eu sou, não é? Você não me dava a menor bola antes. Mas pode tirar o cavalinho da chuva. Nonceba vai voltar". Sipho fuzilou o irmão com um olhar de reprovação, mas ele não parava.

Quando Zola arrumou suas coisas para ir embora depois da faxina, Sipho se mostrou surpreso. Ele presumira que elas estavam de mudança para sua casa. Zola sequer considerou a possibilidade. "Mas e aquela noite?", perguntou.

"O que tem aquela noite?".

"Olha, e se a gente se esquecer do que passou e tentar de novo?", perguntou, exasperado.

Zola riu. "Dá pra ver que você não mudou nem um pouco", disse. "Por favor, nos leve de volta pra nossa casa. Ajudei você com a sua casa, agora me leve para a minha". Tinha superado os encantos de Sipho. Fora uma enorme surpresa quando Sipho apareceu daquela maneira. Em seu estado de choque, tinha feito coisas que jurou jamais fazer de novo com ele.

Alguns dias de reflexão durante a faxina reacenderam sua memória, fazendo com que recobrasse o juízo. Sipho foi pego de surpresa. Ele não sabia o que esperava mesmo. Sabia apenas que precisava de alguém que o fizesse se sentir como um homem novamente, alguém que o adorasse como Zola e Mvelo uma vez o adoraram. O fato é que tiveram mesmo esses sentimentos por Sipho, mas também tinham suas próprias vidas, que não gravitavam em torno dele. Ele descobriu que, embora Zola fosse afável e gentil do lado de fora, era feita de puro aço do lado de dentro.

Não guardava mais rancor em relação a ele. Na verdade, era justamente o contrário. Estava feliz por vê-lo, e deixou isso claro, mas não iria permitir que ele entrasse em sua vida como seu provedor e salvador mais uma vez. Não precisava mais da sua proteção. A vida na favela ensinou-lhe a endurecer, a sobreviver e a ser uma provedora para sua filha. Sipho não era mais o Deus que havia sido para ela antigamente.

Ele ficou louco. Sentia-se perdido e vulnerável. Queria que Zola fosse um porto seguro para ele, para levá-lo de volta à sua velha e confiante personalidade, a que existia antes de começar a depender do salário de outra pessoa. Ainda não podia prometer a Zola que não haveria outras competindo pelo seu amor, mas, naquele momento, ela era a mulher que ele queria.

A recusa de Zola o levou aos braços de muitas mulheres desesperadas de Mkhumbane. Chamava isso de "cura sexual". Ele precisava afirmar sua masculinidade e retomar novamente o equilíbrio. Zola o observava de longe, decepcionada com ele. Até mesmo Mvelo sabia que o que ele estava fazendo era errado.

Ela estava crescendo e foi levada a acreditar que havia certas expectativas quando uma pessoa declarava seu amor por alguém. Não parecia certo distribuir o amor por toda a parte. Além disso, estavam aprendendo sobre a disseminação do HIV na escola, o que a deixava preocupada pela situação de Sipho.

Ele retornou ao seu velho escritório de advocacia e continuou a fazer as vezes de salvador da pátria para quem estivesse com um aviso de despejo, e os tsotsis de uMkhumbane ficaram eufóricos com sua volta.

Sua insaciável ânsia pelos afagos femininos levou mulheres a brigarem várias vezes em seu escritório. Sipho envolveu-se com diversas secretárias da firma, que não conseguiam resistir aos encantos de um poderoso advogado. Estes encontros secretos não permaneceram em segredo por muito tempo. Algumas dessas secretárias jovens e ingênuas acharam que ele poderia ser um degrau para melhores posições na empresa; outras foram seduzidas pelo seu carisma. Bebia mais do que de costume para tentar se esquecer de Nonceba e da dor de ter sido rejeitado por Zola. Trabalhava durante o dia, dormia com as secretárias quando era tomado pelo desejo e bebia à noite com seus amigos no bar.

13

Sipho estava com uma ressaca avassaladora quando Joy, sua secretária pessoal, apareceu na porta de sua casa aparentando estar fortemente drogada. Era sábado de manhãzinha, e seus grandes olhos pareciam vidrados, além de estar com os lábios secos, como se estivesse há dias sem comer. Foi só então que ele percebeu o quanto ela havia emagrecido. Um calafrio percorreu o seu corpo quando ela se sentou ao lado dele na varanda. Então, ela largou a bomba que o deixou atordoado.

"Estou grávida de um filho seu", ela suspirou profundamente. Não estava feliz. Era muito mais jovem que Sipho e planejava estudar. Não queria ser secretária para o resto da vida. Sentia-se tola por se deixar seduzir pelo charme do chefe.

Sipho ficou com os ouvidos zunindo. No fundo, em sua mente, ele sempre soube que esse dia iria chegar; era descuidado em relação às mulheres. Sua mente astuta parecia encolher e virar de ponta-cabeça quando cresciam as suas partes de baixo. Ele acatava àquelas que, como Nonceba, exigiam camisinha. Mas sempre agia como se fosse responsabilidade da mulher cuidar dos métodos contraceptivos e, Deus o livre, das doenças.

Joy, aflita, fez Sipho se sentir culpado. Ele sabia que estava errado. Era mais velho, e ela estava em uma posição subordinada. Ele se aproximou dela. "Não chore, por favor. Estou aqui. Eu vou ficar aqui. Vou te apoiar na decisão que você tomar".

Seu corpo endureceu. "Que papo é esse, na decisão que você tomar?". Ela se afastou dos braços dele para encará-lo com uma fúria contida.

Sipho se sentiu indefeso. "Digo, caso você queira, ou não queira, ter o bebê", disse hesitantemente, apontando para a sua barriga que não estava nem um pouco grande.

"Ah não, eu não estava sozinha nessa. Você ficou lá gemendo meia dúzia de palavras bonitas quando meteu sua sementinha imunda dentro de mim. Agora, quer que eu decida sozinha!". Sentia raiva dela mesma, porque sabia que não era a única mulher na vida dele.

Mas quando ficou sabendo das outras, era tarde demais. Estava louca por ele, apaixonada de uma forma que ia além da compreensão, e não conseguia largá-lo. Sentia amor e ódio por ele ao mesmo tempo. "Eu não vou fazer aborto, e eu espero que você vá se explicar para os meus pais". O lado submisso de Joy tinha ficado no passado. Sipho ficou parado em seu lugar, perplexo ao ver tal transformação. Sua cabeça continuava a latejar de todo o uísque que havia bebido na noite anterior. Ele apenas concordou, querendo se livrar dela logo para poder voltar a dormir.

Depois de um mês sob tensão e sob os olhares raivosos de Joy, que passou boa parte do tempo vomitando no banheiro, tudo foi por água abaixo. Ela havia ido fazer exames de rotina, e sua última visita à clínica trouxe tristes notícias. Além de estar grávida, era também soropositiva. Quando ficou sabendo disso, desmaiou no consultório da conselheira, a qual usou o número de telefone que Joy escreveu no formulário para contatar Sipho. "Senhor, precisamos que venha aqui o mais rápido possível. Sua namorada está com complicações".

Sipho sentiu seu coração disparar, com as batidas pulsando conforme o medo percorria o seu corpo. Receber um telefonema de uma clínica daquelas faz tremer as pernas de qualquer um. Fez o trajeto até o Hospital Addington como se estivesse no piloto automático. Suas pernas ficaram pesadas, e acionar os pedais tornou-se um esforço físico, como uma cena de um filme de ação em câmera lenta.

Ele nunca fumou, mas, naquele momento, ansiava por um cigarro. Parou na frente da porta do consultório, mas não bateu. Sentiu um desejo incontrolável de virar as costas e sair correndo o mais depressa possível.

Mas a porta se abriu antes que pudesse fazer isso. A conselheira tinha uma expressão de gentileza no rosto. Ela o espiou pela porta e deu um sorrisinho tristonho, reconhecendo a dor dele. Já estava acostumada com aquilo. Foi treinada para acalmar pessoas e para mudar a mentalidade delas: do sentimento de desgraça às conversas sobre como controlar a doença que estava em suas veias.

Joy dormia sossegadamente no chão do consultório, sem seus sapatos. Agora, um pequeno volume podia ser visto em sua barriga, ainda que continuasse esbelta. "Joy veio fazer um teste. Tive que chamá-lo porque vi que você é o pai do bebê na barriga dela. Ela vai precisar da sua ajuda para chegar em casa. Está descansando agora. Vamos dar um tempo para ela e, então, o senhor pode levá-la para casa".

"Que teste? Qual foi o resultado? Por que ela desmaiou?", Sipho fez todas as perguntas sem dar à conselheira o tempo para responder.

"Bom, é Joy quem vai decidir se deve explicar ao senhor quando acordar". No exato momento, Joy acordou e se pôs de pé, com um olhar confuso.

Quando seus olhos identificaram Sipho, ela partiu para cima dele, gritando e golpeando o seu rosto. "Seu assassino, você me matou. Vou morrer de uma doença que eu achei que nunca fosse pegar". Lançava seu veneno sobre ele como uma cobra ao ser pisoteada. "Achei que você era um homem sadio, decente, mas você ficou trepando em tudo que é lugar. Olhe o que aconteceu com nós dois. Não adianta tentar negar. Eu sei que foi você. Eu estava bem antes de você aparecer".

Então, ela desabou em uma cadeira e chorou mais um pouco. Seu penteado estava desarrumado. Parecia uma mulher demente. A conselheira deu a ela um saco de papel marrom para respirar dentro e se acalmar.

Sipho ficou sentado com o rosto latejando dos golpes de Joy. "Renda-se", repetia uma voz em sua cabeça. Tinha que se render às notícias. Perguntou tranquilamente à conselheira se poderia fazer um teste. Estava ciente de que era uma formalidade, pois no fundo de sua alma sabia que não havia como não ter a doença. Há tempos perdera a conta do número de mulheres com quem havia se envolvido. Finalmente, ele levou Joy, que estava esgotada, para casa.

Depois de toda aquela discussão, ela simplesmente apagou e dormiu um sono intermitente.

Para Sipho, aquela noite aguardando o resultado do teste foi a mais longa de sua vida. Imagens de várias mulheres piscaram em sua mente, mas foi a lembrança de Zola que deu um nó em sua garganta.

Pela manhã, seu travesseiro estava encharcado das lágrimas amargas do seu arrependimento.

Durante a consulta, pôde ouvir as palavras da gentil enfermeira em sua frente, mas sentia como se estivesse debaixo d'água. Embora ele esperasse que o resultado fosse positivo, a confirmação o fez soluçar pelas vidas que ele havia arruinado.

14

Quando Sipho veio visitá-las, Mvelo ficou feliz de vê-lo, como de costume. Mas desta vez, ficou surpresa. Em vez de deixar que ela o acompanhasse até a saída, ele pediu para que Zola fosse com ele até o carro.

Uma nuvem negra pairou sobre o barraco daquele dia em diante. Zola novamente entrou em um profundo silêncio. Frequentava a clínica regularmente, e sua procura pelas cerimônias da igreja tornou-se premente. Ela e a filha tornaram-se devotas exemplares.

Um dia, ela pediu a Mvelo para se sentar e lembrou-lhe do dia em que Sipho chegou dos Estados Unidos. Com o calor das lágrimas correndo em seu rosto, disse que tinha contraído HIV naquele dia. Ela nunca foi de falar abertamente sobre sexo com Mvelo, mas, naquele dia, contou a filha sobre não ter usado proteção com Sipho depois do seu retorno. Desde o dia em que rompera com ele, não tinha estado com outros homens.

Mvelo sentiu uma rocha afundar em seu peito. Odiou Sipho por fazer Zola chorar mais uma vez. Tinha a impressão de que o destino de sua mãe girava em torno dele. Demorou até que conseguisse olhar em seus olhos novamente.

Zola mostrava os sintomas clássicos de alguém que enfrentava questões sobre a vida e a morte. Disse a Mvelo para se apressar e deixar seu ódio de lado, porque a vida ia deixá-la para trás. Era o medo da doença que dava tanta raiva em Mvelo. Ela odiava Sipho por ter infectado sua mãe e por ter terminado com Nonceba. Odiava Joy porque queria um bode expiatório, queria culpar alguém pela tristeza que entrou em suas vidas.

No dia em que Zola falou a ela sobre ter contraído HIV, Mvelo fez uma longa caminhada pelo labirinto de barracos, sem propósito, apenas tentando fugir do próprio choro. Um pedaço saliente e afiado de uma chapa de metal arranhou a sua perna, causando um sangramento. Mas em vez de sentir dor, sentiu uma calorosa sensação de tranquilidade, e a visão do sangue trouxe toda sorte de ideias para curar Zola. Sob o luar, ela olhou fixamente ao sangue que se esvaía de seu corpo e sentiu um alívio para a pressão que aumentava dentro de si. Olhou para o seu sangue limpo e achou que seria possível. Algum médico inteligente poderia drenar o sangue infectado de Zola, injetando nela o sangue de Mvelo.

Agora, em certas noites, após escutar Zola chorar baixo até dormir, Mvelo acordava para se cortar com uma lâmina, para ver o sangue e sentir aquela sensação de tranquilidade novamente.

Dois meses depois de receber as notícias, Joy bebeu desinfetante e foi encontrada em posição fetal no banheiro do escritório.

Seu bilhete dizia apenas: "Lobos em pele de cordeiro

que fingem amar... Vocês podem ganhar até algumas, mas acabam de perder essa".

Aquela questão mal resolvida começou a corroer Sipho por dentro. Seu estado deteriorou-se rapidamente após a morte de Joy. Suas pernas se recusavam a carregá-lo. Seu peso despencou, e seu corpo alto tornou-se assustadoramente fraco. Zola e um grupo de voluntários foram visitá-lo quando ele estava trancado em sua casa, alimentando-se da própria autocomiseração. Limparam a casa, mas Zola insistiu em preservar a dignidade dele, sendo a única que trocava suas roupas e que lhe dava banhos de esponja.

Mvelo simplesmente se desligou. Queria apagá-lo da memória. Estava braba com Zola e a proibiu de falar sobre ele na frente dela.

As fofocas rolavam soltas. As pessoas falavam por meio de cochichos. Foi então que Mvelo sonhou com Sipho. No sonho, ele chorava e se afogava. Ela tentava desesperadamente puxá-lo para a superfície, mas ele soltou a sua mão. "Se alguma vez você acreditou em algo a meu respeito, acredite nisso que vou te dizer: eu amo você", ele disse, deixando-se levar pelo mar com um sorriso no rosto. Ela acordou trêmula e ensopada de suor. Precisava ver Sipho pelo menos uma última vez, porque sabia que, por trás de toda a sua raiva, ela ainda o amava como o único pai que teve. Quando contou o seu sonho a Zola, sua mãe pediu para que se sentasse e então disse: "Eu sei que você acha que eu estou sendo idiota por fazer o que estou fazendo, mas o que eu posso dizer para você é que, se eu guardar rancor por ele, que errou comigo, eu morreria rapidamente e te deixaria sozinha. E não estou pronta pra isso. E, quanto a você ter ódio com tão pouca idade, eu temo que isso vá ser um peso pra você e que vai fazer a vida passar em vão.

Não é pelo Sipho que faço as coisas que faço. É por mim. É para me manter viva e saudável com um propósito. Além disso, nós já o amamos uma vez. Esse amor não morre tão fácil assim. Acho que ele está preso no fundo do seu coraçãozinho. É por isso que agora você está tendo esses sonhos". Enquanto Zola falava, Mvelo observou que sua mãe havia mudado a forma de pensar sobre a vida. Parecia estar mais calma e mais sábia.

Mvelo visitou Sipho após evitá-lo durante meses e ficou chocada com o que viu. Sipho era um vulto do que havia sido um dia. Os olhos dele se encheram de lágrimas quando a viu, amadurecida e esbelta, como uma versão mais jovem de Zola. Não disseram nada. Mvelo sentou-se ao lado de sua cama e ambos se olharam. Falaram com os olhos e absorveram um ao outro. Naquele momento, Mvelo removeu a muralha protetora que tinha em seu peito e permitiu que a dor e a frustração a purificassem, trazendo de volta seu verdadeiro eu.

Sipho tornou-se mais fraco fisicamente, mas seu espírito permanecia o mesmo. Em dias melhores, ainda conseguia arrancar risadas delas.

Ele deu a casa ao seu irmão, os destroços do rio. Talvez se Mzokhona tivesse um lugar para ficar, ele iria mudar, era o que Sipho esperava. Sua parte no escritório de advocacia foi vendida por quase nada aos seus sócios. Como ele não era casado, seus assuntos pessoais eram tratados pela sua mãe, com ajuda dos amigos advogados. Ele concordou com tudo, mas recusou teimosamente quando ela se ofereceu para levá-lo de volta a eMpendle junto com ela. Ele preferiu o centro de cuidados paliativos do Hospital Addington.

Enquanto esteve lá, fez as enfermeiras darem risada e alegrou os outros pacientes com suas piadas. Alguns dias foram mais felizes, outros foram insuportáveis. Afundava-se de tempos em tempos num estado de melancolia, principalmente quando Nonceba ou Zola eram o assunto da conversa. Talvez fosse a culpa, mais do que a própria doença, que o aniquilasse.

A unidade de cuidados foi seu último lar. Nunca mais conseguiu ver Nonceba novamente. Um dia, estavam todos rindo, enquanto ele contava uma piada a Zola. A intensidade de sua gargalhada foi forte demais, e o seu coração não resistiu. Morreu rindo.

15

As piadas de exaltação à vida de Sipho conseguiam acalentar até mesmo os corações mais frios. Ele iluminou a unidade em meio à presença da morte e da doença em sua unidade. A equipe o apelidou de Patch Adams, ainda que ele não fosse médico, já que sua risada parecia ter efeitos curativos.

Quando Zola percebeu que ele havia partido, caminhou lentamente até a janela. Ela queria ver se algo havia mudado do lado de fora, se o mundo estava velando sua morte. Mas as nuvens cinzentas olharam de volta, indiferentes. O oceano ainda brincava alegremente com os turistas, enquanto os ambulantes gritavam os preços das suas bugigangas. As damas da noite, agora atuando em plena luz do dia, tragavam seus cigarros e seduziam os transeuntes como sempre. Traficantes negociavam a maconha da variedade Durban Poison e recebiam em troca o dinheiro de cidadãos de terno, asseados, porém frustrados. O cego de voz angelical continuava sentado na esquina cantando *Summertime*, mas a vida não era fácil.

Zola começou a discursar incessantemente para Deus e os ancestrais. Ela então fez uma súplica altruísta para Sipho, dizendo a Deus e aos ancestrais uma lista das coisas que o agradavam, a começar pela lua. "Ele amava a lua", disse, "receba-o com o luar. E amava as mulheres, ancestrais. Façam com que várias estejam lá para recebê-lo. Depois, as crianças. Traga os sons de crianças rindo. Ele vai ficar contente com isso. Ah, e também a música. Não músicas tristes, mas a música de tambores e das vozes de princesas africanas. Traga-as junto com Mfaz' Omnyama, a lenda do maskandi, tocando seu violão".

Zola sempre soube que amava Sipho, mesmo com toda a dor e o sofrimento que ele lhe causou. Não conseguira aguentar suas mulheres, mas, naquele dia, renunciou a ele de maneira livre e altruísta.

Mvelo começou a chorar; estava aliviada. Finalmente, aquele era o dia do perdão de Sipho.

A velha rabugenta da mãe ficou estarrecida quando ouviu o último desejo dele, que transmitiu a Zola. Era típico de Sipho, um piadista até o fim. Tinha pedido para que as mulheres do seu funeral tirassem suas roupas de baixo e as colocassem em seu caixão. De maneira alguma a sua mãe anunciaria tal coisa, é claro. Zola, no entanto, riu tanto do pedido de Sipho quanto da reação que a mãe dele teve. Zola sempre quis saber como foi que Sipho veio daquela mulher ressecada.

A mãe de Sipho estava determinada em não repassar nem um mísero centavo do dinheiro que Sipho queria deixar para Zola. A velha não iria contar que Sipho lhe implorou e suplicou para que Zola e Mvelo ficassem com seu dinheiro e sua casa, o que ela não aceitaria de jeito nenhum. "Só por cima do meu cadáver", foi o que disse para si mesma. Ficou bufando de raiva ao ver o filho escolher uma mulher jovem da cidade, que nem era casada com ele, para herdar seu dinheiro em vez de sua mãe. As palavras do filho foram como uma lança em seu peito. Isso a fez lembrar do pai de Sipho, que foi engolido por Ndongazibovu, as paredes vermelhas de Johannesburgo, com suas jovens moças que exibiam as curvas que ela não possuía.

Quando todos se reuniram para se despedir dele, os homens ficaram perplexos. "uSipho ubeyisoka lamanyala", era um homem que levava jeito com as mulheres. Como é que pode um homem ter tantas mulheres apaixonadas por ele?

"Vixe, meu irmão. Todas as ex-namoradas do cara estão aqui", seu irmão bêbado disse alto, causando risos entre os homens pesarosos. "O que ele tem que nós não temos?". Eles coçavam as cabeças, sabendo que as suas ex-namoradas jamais falariam com eles em vida, e muito menos compareceriam aos seus velórios. Alguns ficavam parados em um estado de torpor. Outros babavam abertamente ao ver e sentir o perfume das mulheres do passado, do presente e do futuro de Sipho: altas e baixas, jovens e velhas, gordas e magras. Todas lindas em sua tristeza coletiva.

O sol brilhava e o céu estava limpo, com um intenso tom de azul. O dia estava sereno como a clareza de sua mente no final de sua vida. Depois que viram o seu corpo, o céu desabou em suas cabeças. Uma chuva feroz, de pingos grandes e refrescantes, caiu. A terra e as mulheres ficaram encharcadas. O solo exalava um cheiro delicioso. As mulheres ficaram sob a chuva e estenderam os braços para receberem o beijo da água. Chutaram para longe os saltos altos e caminharam descalças, rindo e chorando enquanto os homens cuidadosamente o abaixavam para seu derradeiro local de descanso, a terra que tudo consome.

Mvelo fez uma prece desesperada, torcendo para que a sua mãe fosse poupada pela terra insaciável que seguia engolindo sem mastigar, banqueteando-se com o que recebia.

E, exatamente do jeito que agradaria a Sipho, uma cacofonia de sirenes interrompeu a triste música que acompanhava o caixão para o fundo da terra, perturbando a cerimônia como o arranhar estridente de uma agulha sobre um velho disco de vinil. Quatro policiais rodoviários em motocicletas escoltavam uma imponente Mercedes preta que parou no estacionamento do cemitério. A música cessou e todos se voltaram para observar. Então, a mãe de Sipho deu um grito de surpresa quando uma mulher de sua idade, embora mais alta, elegante e em melhor forma, saiu do carro. Ela usava um vestido de um vermelho intenso e um chapéu que exibia a pena longa e brilhante de uma ave exótica. Pérolas finas adornavam suas orelhas e seu pescoço.

Um chofer de preto ficou de prontidão ao lado do carro. A mulher mandou embora os policiais rodoviários que haviam liberado o trânsito para ela. Eles tocaram em seus quepes, assentiram e foram embora. Então, ela desfilou na direção da multidão reunida no local, com o peito empinado, as costas aprumadas e os ombros firmes, em passos precisos. Tinha a aparência de uma mulher que havia sido bailarina na sua juventude.

A multidão permaneceu calada enquanto ela se aproximava. Foi direto na mãe de Sipho tomar satisfações. "Harriet, o que você pensa que está fazendo? Como você faz o enterro de Danny sem me avisar? Depois de tudo o que eu fiz por você, você resolve me ignorar assim?". Estava tão furiosa que tremia. Falou em zulu perfeito e houve murmúrios de surpresa na multidão.

O que veio em seguida impressionou a todos. MaMdletshe a enfrentou: "O nome dele é Sipho, não Danny, Julia, e eu não te devo nada. Mas antes que você me acuse de ingratidão, é bom que você saiba que fui até a sua casa avisar, mas seus seguranças me expulsaram de lá".

Esta era Julia, que havia sido a patroa da mãe de Sipho durante quinze anos, com quem sempre teve uma rivalidade feroz na disputa pelo carinho de seu filho. Julia falava com ele em inglês, excluindo a mãe das conversas que tinha com Sipho, mas agora que maMdletshe estava em seu próprio território, iria dar sua opinião. "Você tentou roubar meu filho. Tentou colocar meu filho contra a própria mãe, enchendo a cabeça dele com as suas esquisitices, mas você fracassou, Julia. Você fracassou, e Sipho, o meu filho, buscou seu nome de volta e voltou pra mim".

Julia criou Sipho academicamente, pagando pela sua educação universitária. Assim, sentia que poderia reivindicar sua memória. "Eu vi que ele tinha talento e só queria ajudar o garoto a realizar seus sonhos. A escola aqui da vila ensinou a ele os fundamentos, Harriet, mas depois que ele se formou na escola, alguém tinha que ajudá-lo. Foi você quem se mandou. Fui eu quem insistiu pra que ele te visitasse. O que você quer de mim?".

"Você sabia que eu quase enlouqueci quando você levou meu menino pra outro país junto com você? Por que você quis roubar o meu filho?", maMdletshe quis saber.

"Mas eu não quis! Eu paguei a faculdade dele e fui embora porque não aturava mais este país e toda a palhaçada deste lugar", Julia disparou.

Então, foi a vez da mãe de Sipho assumir o bate-boca. "Mas você voltou, não foi? Lar doce lar, não é, Julia? Você sentiu a nossa falta naquele lugar onde o sol não aparece por meses e onde você não tem empregada para limpar a sua privada. Você deve ter sido muito infeliz".

Julia deu um suspiro exasperado, fez um gesto de impaciência e ordenou aos homens para que levassem o caixão embora com um movimento das mãos. Obedeceram imediatamente, como costumavam fazer diante das madames.

"Danny tinha um espírito livre, Harriet, ele não era de ninguém", Julia disse. Então, ela se liquefez em uma confusão de lágrimas.

Uma sensação de enternecimento tomou conta da mãe de Sipho. Ela pegou a mão de Lady Julia e a levou para o caixão, onde pararam, lado a lado, por um instante.

Então, a música começou. Mas não era a melodia fúnebre de um velório. Eram as vozes das princesas que Sipho amava.

As pessoas de outro funeral, que enterravam alguém próximo ao túmulo de Sipho, eram da Igreja Sionista e tinham tambores. Quando eles ouviram as princesas cantar, acompanharam a melodia com a batida de seus instrumentos de percussão, enquanto um táxi passava com uma música de Mfaz' Omnyama a todo volume no som do veículo. Os convidados do enterro de Sipho começaram a bater palmas, a cantar e a dançar.

Mvelo olhou para sua mãe e enxergou satisfação. As preces de Zola haviam sido atendidas, e o seu Sipho teve um funeral festivo. Então, Mvelo olhou para a velha senhora branca que havia enfrentado a mãe de Sipho e chegou à conclusão de que gostou dela. Essa tal Lady Julia havia sido mimada e esperava que o mundo fizesse suas vontades, mas precisou de coragem para vir até aqui neste dia.

O que ninguém sabia era que havia um vínculo genuíno entre os dois. Foi ela quem o apresentou para o fruto proibido. Um dia, ela o pegou de surpresa enquanto ele tomava banho, e o que se seguiu o transformou no homem confiante que dedicou sua vida a encantar as mulheres.

Quando sua mãe resolveu parar de trabalhar para Julia, ele a desobedeceu pela primeira vez, recusando-se a voltar para casa junto com ela. Isso partiu o coração de sua mãe, e foi duro para Sipho. Mas ele queria os confortos que acompanhavam a vida na cidade. A ideia de retornar para a zona rural era demais para ele. Não arredou o pé e prometeu que visitaria sua mãe.

Agora que os convidados do enterro se preparavam para retornar ao hospital e continuar a recordar velhas histórias de Sipho com aqueles que estavam muito doentes para comparecer, Julia deixou a vida de Sipho pela última vez. Os faróis brilhantes da sua Mercedes foram desaparecendo no horizonte enquanto ela retornava à sua mansão no afluente subúrbio de Kloof.

Naquela noite, depois do enterro, Mvelo escutou sua mãe contando lembranças de Sipho para sua vizinha Dora, no lado de fora do barraco. Zola gostava de sentar-se sob o luar nas noites de verão. Ela removeu o papel alumínio dos muffins que trouxeram do funeral, para a janta, e ofereceu um a Dora. Zola não comeu nenhum. Era assim que conseguiam economizar para a próxima refeição: pulando uma, caso não estivessem com muita fome. Ela chamou Mvelo para levar o resto dos muffins para dentro. "É hora de dormir, Mvelo. Você tem que ir pra cama. Vou ficar aqui com a Dora".

Mvelo ouviu sua mãe dizer a Dora que mesmo com todas as mulheres que foram ao enterro, Sipho não era nenhum santo. "Era um sedutor. Tirar a calcinha das outras era com ele mesmo, mas um santo homem? Longe disso", riu com melancolia. "Eu amava o Sipho desde que eu era adolescente, mas agora eu sou uma mulher adulta. Por mais que eu tenha idolatrado aquele lá, como as outras fizeram, ele era um homem imperfeito, com muitas falhas, e algumas delas tiveram consequências fatais. Seu charme deixou muitas mulheres na corda bamba entre o amor e ódio. Não é assim mesmo, aqueles que mais amamos são os que mais nos machucam?

Ele tinha esse talento pra decifrar as mulheres e assumir o papel que achava que ia agradar a cada uma delas. Ele foi um provedor e um protetor para mim, foi um pai para a minha filha e, com Nonceba, foi um homem desesperadamente apaixonado e muito vulnerável. Tinha uma necessidade incessante de ser amado. Como todas as suas mulheres, eu não estava imune. Eu tinha uma devoção por ele, mas não era cega. Eu sentia a tristeza dele. Tinha todo aquele amor à sua disposição, mas ninguém o conhecia de verdade. Ele costumava dizer que se sentia como um virgem com cada mulher nova, porque encontrava novas curvas, novas fragrâncias e novos movimentos". Zola e Dora riam suavemente, como meninas compartilhando segredos. "Ele não era nenhum galã. Era sua presença que deixava as mulheres confusas e perdidas". Zola parecia fazer esforço tentando encontrar as palavras certas para expressar o seu amante. "Quando os amigos perguntavam, ele sempre dizia: 'A mulher que me transformou num homem não foi uma garota atrapalhada e acanhada. Eu era um garoto atrapalhado e ela era experiente, como um vinho envelhecido'. Seus olhos brilhariam ao ver os homens pescando cada palavra sua. Então, ele dava um gole em seu uísque. 'A mulher é uma criatura misteriosa, ele dizia, ela tem nuances que você precisa estudar com muita atenção. A minha primeira me ensinou como tratar uma mulher até ela se derreter como uma manteiga nas minhas mãos quentes. Comigo, elas não gritam; elas rugem como felinas belas e poderosas na selva. Algumas choram até não poder mais e falam em línguas, pois aquilo passa a ser uma experiência religiosa para elas'. Então ele dava risada e se esbaldava".

Essa conversa sobre sexo deixou Mvelo horrorizada. Era um lado da sua mãe que ela não conhecia. Sentiu-se culpada por escutar a conversa, mas ficou plantada no lugar. Ela podia enxergar Zola pela fresta na porta. Olhou para baixo enquanto sua mãe falava com Dora, que praticamente não fazia comentários, apenas limitando-se a sorrir e concordar, como se dissesse "Sim, sei como é". Mvelo sentia-se feliz pela sua mãe, que tinha uma mulher adulta com quem conversar. Dora era o retrato da compaixão.

Mvelo observou a sua mãe ajeitar sua saia preta com as mãos. Depois de um longo e profundo silêncio, ela disse, "Sabe, Sipho tinha pavor de ser apenas ele mesmo. Ele nunca achou que suas mulheres iriam amá-lo da mesma forma. Foi só no leito de morte que ele tentou se livrar da máscara e, mesmo assim, foi só comigo e com a minha filha". Mvelo jamais havia escutado sua mãe falar de assuntos tão pessoais com alguém antes. Então, Zola contou a Dora sobre o pedido que Sipho fez a ela, para que desse um fim nele, caso algum dia ele não pudesse mais se virar sozinho.

Dias antes de falecer, ele pegou o braço dela e segurou firme. Sua força a surpreendeu. "Se eu começar a me cagar e não puder mais falar ou te reconhecer, você precisa fazer uma coisa para mim. Me deixe descansar, me deixe ir embora. Use um travesseiro, uma faca, qualquer coisa que dê um fim no meu sofrimento. Eu te causei tanta dor. Eu não mereço a sua bondade. Mas se você alguma vez me amou, eu te peço, não me deixe viver mais nem um minuto quando eu virar um morto-vivo", ele sussurrou com o olhar fixo em seus olhos, febril e determinado, clamando por uma resposta positiva.

Zola contorceu-se de pavor, cada centímetro de seu corpo rejeitando a maldição que era o desejo de um homem à beira da morte. Mas olhando em seus olhos, sabia que precisava mentir e dizer que sim. Sua resposta trouxe um sorriso a seu rosto. "Essa é minha garota", ele disse, apertando sua mão. Ela respondeu com um sorriso e lágrimas nos olhos, e o pacto estava firmado. Sentou-se lá, sentindo-se novamente próxima dele como nos velhos tempos. Ele parecia livre e aliviado. Então, começou a melhorar, e a esperança renasceu em ambos. Mas a vida é cruel assim, como o afago que a galinha recebe antes de ter seu pescoço torcido.

Zola disse que sua morte foi como levar uma salva de tiros de um pelotão de fuzilamento. "Acho que eu perdi a cabeça temporariamente, meu coração foi arrancado de dentro de mim". Não derramou lágrimas naquela instante, mas o choro que havia dentro dela pôde ser escutado pelos ouvidos compreensivos de Dora.

16

Depois que Johan começou a se afundar cada vez mais na depressão, tendo tomado uma overdose quase fatal de medicamentos, Petra o pegou de surpresa ao anunciar, em tom quase empresarial, que sairia em busca da sua filha. "Temos que encontrá-la", ela disse. "Isso está te matando. Eu não quero te perder".

Johan se apaixonou pela sua esposa naquele dia, depois de anos em um casamento vazio de sentimentos. Os dois juntaram forças para encontrar sua filha. Haviam tentado localizar Nonceba por alguns anos, mas não tiveram resultados. Tudo o que sabia era que Zimkitha tinha um sobrenome que significava arbusto ou floresta na língua dela. Também sabia que tinha vindo da costa, mas não tinha certeza se era da costa leste ou oeste.

Em um palpite, mudaram-se para Durban, para talvez encontrar uma pista que os levasse até Nonceba e também para ajudar a conter o flagelo do vírus HIV, que assolava a província de KwaZulu-Natal. Mudaram-se para uma casa modesta em Manor Gardens e trabalharam com jovens, aconselhando-lhes a optarem por um estilo de vida responsável. Ao contrário dos vizinhos, sua casa não tinha grades, e ficava à mercê dos tsotsis que resolvessem fazer uma visitinha a eles.

Johan era um homem diferente depois de sair da depressão profunda. A coisa que ele mais temia — ser rejeitado pela sua família — já tinha acontecido, e ele sobrevivera. De fato, sentiu-se até mesmo livre depois do ocorrido. Não estava mais confinado aos ensinamentos inflexíveis do pai, não precisava mais buscar sua aprovação. Sentia-se livre, com um renovado sentimento de propósito. Assim, Petra e ele dedicaram suas energias para ajudar a construir uma nova África do Sul.

Embora naquela altura já tivessem parado de procurar pela jovem mulher cujo nome não conheciam, os dois tinham a esperança de que o destino iria levá-la até eles.

O desejo de Petra por dar à luz continuou sendo uma ferida aberta que jamais poderia ser curada. Durante um tempo, sentiu-se para baixo e ficou deprimida, principalmente quando a natureza decidiu pôr um fim nas suas reafirmações mensais de que ainda havia uma possibilidade. O fim definitivo despedaçou suas esperanças e partiu seu coração. O plano do casal, de adotar uma criança, ficou apenas na conversa. Nunca foi levado adiante, pois estavam sempre muito ocupados. Johan, por outro lado, ainda tinha a esperança de que, um dia, encontraria o fruto da sua própria carne. Ele seguia observando mulheres jovens de trinta e poucos anos, tentando encontrar os olhos ferozes de Zimkitha respondendo ao seu olhar.

Petra dedicou-se a ajudar mulheres jovens com problemas mais graves que os seus, o que tirou o foco da sua própria dor. A Bíblia continuava sendo um ponto de conforto.

O casal passava a maior parte dos dias nas favelas da vizinhança, fazendo visitas a domicílio para os que estavam doentes demais para ir até os hospitais. Aprenderam sobre a dignidade e o jogo de cintura dos moradores dos barracos. Ainda que seus barracos parecessem pouco atraentes do lado de fora, os interiores mostravam uma incrível capacidade de inovação e sobrevivência. As paredes eram decoradas com belos papéis de parede feitos com revistas e embalagens de presente. Quase todos tinham televisões, algumas que funcionavam com baterias de carros. Os barracos que ficavam próximos dos subúrbios frequentemente tinham fiações ilegais que os conectavam à rede elétrica da cidade.

Petra impressionava-se constantemente com a forma como os moradores faziam planos e viviam vidas plenas. Nos fins de semana, os rádios estavam a todo volume, com pessoas dançando, chacoalhando os quadris para lá e para cá ao som da música. Se um dos moradores se entregasse à morte, a comunidade se reuniria, oferecendo auxílio para enterrar um dos seus com a devida dignidade.

Mas havia coisas que não faziam sentido para ela. As brigas que surgiam durante as bebedeiras, as ocorrências constantes de crianças que perdiam a inocência em estupros brutais e o número crescente de meninos e meninas que precisavam se virar sozinhos.

Os dois voltavam para casa exaustos após as visitas, permanecendo em silêncio no carro durante o caminho, cada um concentrado nos próprios pensamentos sobre o dia que passara. Às vezes, era um sentimento de desolação diante do caos das vidas humanas que lutavam pela sobrevivência dia após dia. Às vezes, enchiam-se de esperança ao ver um paciente se recuperar em seu leito de morte. Era uma montanha-russa emocional. Petra manteve o foco em arrecadar fundos das ONGs internacionais e das igrejas. Quando Johan não estava nas favelas, estava estudando novas pesquisas sobre o vírus da aids. Treinava jovens voluntários para serem prestadores de cuidados e tratava enfermidades que iam desde aftas até tuberculose.

Petra escrevia cartas extremamente pessoais e sinceras aos doadores. Foi essa abordagem que garantiu todo o financiamento do trabalho que faziam. Ela gostava de usar uma história que falava em salvar, uma por uma, milhões de estrelas do mar cuspidas pelo oceano. Dizia que estava ciente de que era impossível salvar todas, mas que, quando conseguia atirar algumas de volta para a água, ganhava força para acordar e fazer de novo no dia seguinte. Para ela, bastava fazer a diferença na vida de alguém. Em dias difíceis, Johan sentia que essa mulher incrível era a fonte de sua energia.

Foi em um daqueles dias longos e difíceis que chegaram em casa e se depararam com um bebê enrolado em um cobertor, gritando em frente à porta de sua casa. Entreolharam-se com choque e incredulidade. Petra pegou a criança que gritava, colocou de encontro ao seu peito e a acalmou. Johan ficou parado em frente à porta, tentando pensar em qual seria o próximo passo. O bebê se aquietou, e Petra também permaneceu em silêncio, junto com ele.

"Terás uma criança", disse suavemente. "O quê?", Johan perguntou.

"E o Senhor disse: Terás uma criança. Lembre aquela história sobre Abraão e Sara? Eles estavam velhos e já em uma idade avançada. O senhor apareceu diante deles e disse..."

"Ah, não, não, não, Petra, não podemos. Somos velhos e ocupados demais pra criar uma criança. Por favor, vamos à polícia amanhã de manhã. Nós não sabemos nem se essa criança está doente, ou sei lá o quê". Johan entrou em pânico quando viu a cara que ela fez. "Talvez a mãe estivesse bêbada, talvez ela volte sóbria amanhã", ele disse. Mas viu uma completa determinação nos olhos de Petra. Ela iria enfrentá-lo nessa questão.

Usaram o leite fortificado que mantinham para as mães soropositivas que não podiam amamentar. A bebê sugou o leite com energia, como um bezerro sedento, e dormiu contente. Os instintos maternais que estavam dormentes dentro de Petra foram despertados. Estava completamente arrebatada por este novo milagre de vida que acabaram de encontrar. Não ouviu nenhuma das reclamações de Johan. A excitação era tanta que não queria sequer ir à polícia. Se pudesse, ficaria com a bebê sem ter que lidar com nenhuma restrição jurídica.

Johan conseguiu convencer e tranquilizar sua esposa, explicando que só poderiam ficar com a bebê após comunicar o incidente à polícia e solicitar formalmente a guarda dela, caso ninguém fosse procurá-la. Ele não achava que os assistentes sociais deixariam que ficassem com a criança.

No dia seguinte, os policiais foram até a casa deles para registrar uma declaração. Com autoridade, disseram que legalmente o bebê deveria ser entregue ao serviço de assistência social do estado, até que "resolvessem essas pendências". Todos sabiam que demoraria anos até que algo fosse resolvido.

A voz de Petra começou a ficar trêmula, como se estivesse prestes a chorar. "A única coisa que eu digo é que temos um lar amoroso bem aqui e eu mesma posso cuidar da criança enquanto vocês resolvem essas pendências que acham que vão aparecer".

A polícia foi embora e disse que voltariam com a assistência social para levar o bebê. Pareciam derrotados pela determinação daquela senhora, que protegia a criança ferrenhamente. Johan não aguentava ver Petra angustiada dessa forma e ainda guardava uma certa antipatia pela polícia. Perguntou ao policial se ele tinha filhos, e o homem disse que sim. "Bom, policial, nós nunca tivemos filhos, mesmo depois de tentar por muito tempo. Então, você consegue ver o que isso está causando na minha esposa?".

O policial ficou perplexo com esse casal que lutava por uma criança negra. "Essa porra desses liberais de coração puro", murmurou enquanto entrava no carro.

Uma vizinha curiosa perguntou: "Está tudo bem aí, Petra?".

Petra desatou a falar toda a história do milagre que encontrou na porta de casa. "Sabe me dizer qual a palavra em zulu para *encontrada*?".

"*Tholakele*, a palavra é *Tholakele*", disse a vizinha, que ainda estava de pijama e que agora estava no jardim deles fazendo agradinhos para a bebê. "Ela é tão fofa", disse.

Johan tinha perdido a luta, e a ideia de ser pai também começava a crescer dentro dele. Eles ficaram parados lá fazendo agrados para a bebê, repletos de ansiedade, antecipando a chegada dos assistentes sociais. Enquanto isso, a bebê dormia sossegada. "Você foi encontrada", Petra sussurrou para a bebê, "e eu vou te batizar de Princesa Tholakele". Olhou para Johan atrás dela, que espiava sobre o ombro. Ele assentiu com a cabeça, e o pacto foi selado.

Um deu força para o outro, e se prepararam para a maior luta de suas vidas contra a assistência social. Tiveram arrepios quando ouviram as batidas na porta. Abriram e ficaram aliviados ao ver que era Mbali, a assistente social que atendia a mesma área das favelas que visitavam. Era uma senhora querida, que possuía uma calma determinação em seu trabalho com as crianças da favela.

Petra e Johan se sentiram tranquilizados ao saber que ela cuidava do caso. Mbali disse-lhes que a adoção seria um processo demorado, que começaria assim que a polícia fizesse uma investigação detalhada para encontrar quem havia abandonado o bebê. Enquanto isso, precisariam convencer o serviço de assistência social de que poderiam deixar a criança em seus cuidados. Seu envolvimento com a comunidade e o histórico profissional de Johan, um médico, colocava-lhes em uma boa posição. No entanto, sua idade, ambos com quase sessenta anos, e o fato de serem de uma raça diferente da criança, tendo outra bagagem cultural, poderia ser um problema. Não tinham pensado nessas questões.

"Sim, a criança é negra", argumentou Petra, "mas como definir a bagagem cultural dela? Ela não deve ter nem uma semana de vida ainda. Poderia ser Zulu, Xhosa, Congolesa ou qualquer outra coisa. Gostaria que eles me dissessem como vão conseguir determinar a bagagem cultural dela!".

Mbali a acalmou, lembrando-a de que estava do seu lado. "Estou nessa briga com você. Você sabe que eu vou fazer o meu melhor pra te ajudar, mas, por enquanto, se você quiser ganhar essa luta, aconselho arranjar um bom advogado".

Perceberam que as suas vidas haviam mudado num piscar de olhos. Quanto mais difícil a situação parecia ficar, mais obstinados se sentiam. Depois da visita de Mbali, foram fazer compras para tornar a vida da bebê o mais confortável possível. Petra assinou revistas sobre maternidade e encontrou um grupo de apoio para pais que adotaram bebês de raças diferentes das suas.

Mbali deu a eles o número de uma advogada influente, uma amiga dela que tinha acabado de voltar para a cidade. Disse que a mulher era alguém que brigava como um pitbull, não desistindo jamais, principalmente em casos envolvendo crianças. "Ela só pega casos que são importantes para ela", Mbali explicou. "Ela é meio estranha, mas não deixe que isso influencie sua opinião. Vai brigar por vocês até que tenham o direito legal de serem os pais dessa princesinha". Petra segurou o pedacinho de papel como se sua vida dependesse daquilo. "O nome dela é Nonceba Hlathi", Mbali disse. E acrescentou, corriqueiramente: "Hlathi significa *arbusto*".

Johan sentiu sua pele formigar por um instante. Mas seria coincidência demais. Sentou-se, de uma forma silenciosa e pensativa, enquanto Mbali e Petra falavam sobre a papelada. "E no que o senhor está pensando tão sério assim, pai da Princesa?", Petra perguntou, de um jeito brincalhão, depois que Mbali foi embora.

Todas as lembranças de Zimkitha inundaram a mente de Johan, e teve que se recompor para fazer a ligação para a advogada.

O telefone tocou várias vezes e, então, uma voz surgiu repentinamente na linha. "Oi, aqui é Nonceba —"

"Alô, meu nome é —"

"... deixe uma mensagem e entrarei em contato com você". Um longo bipe soou após a gravação da voz.

Johan começou de novo.

17

"Onde está o bebê?", Cleanman perguntou a Mvelo quando ela retornou do hospital de mãos vazias.

"Morreu", mentiu sem expressar emoção.

Cleanman ficou pasmo. Queria saber como era possível aquela jovem ter tanto azar, primeiro perdendo sua mãe e em seguida seu bebê. Após um longo silêncio, disse: "Provavelmente é melhor assim, minha jovem".

Ela concordou.

Estava insensibilizada demais para chorar e sua cabeça já pensava no próximo plano: verificar se Sabekile estava segura. O dia seguinte era o dia da coleta do lixo, quando os moradores dos barracos saíam em peso para as ruas. Foi à cidade para vasculhar as lixeiras, mas apenas uma casa era o seu alvo. Foi discreta, mas observou atentamente se Sabekile estava lá. Seu coração pulou quando ela os viu, o casal de brancos, com seu bebê. A mulher embalava o bebê em seus braços enquanto o marido a ajudava a se sentar no banco do passageiro do automóvel. Então, deram a partida no carro e saíram.

Mvelo esperou perto da casa. Pouco tempo depois, eles

retornaram com a polícia. Falavam e mostravam aos policiais o lugar onde haviam encontrado o bebê chorando. A polícia foi embora, mas, logo depois, uma senhora vestindo um traje formal de cores sóbrias e sapatos comportados chegou. Seu carro tinha um emblema do serviço de assistência social. Mvelo quis gritar, pois achou que seu bebê seria mandado para uma daquelas instituições superlotadas onde as outras crianças e os cuidadores abusam dos pequenos. Ficou muito aliviada quando viu todos em frente à casa falando de maneira amistosa, e a assistente social indo embora sem levar o bebê. O casal sorridente ainda estava com ela. A fé que tinha em sua prece solene foi restaurada.

Dia após dia, Mvelo continuava a rondar a casa, observando quem entrava e quem saía. Ela cuidava para não ser percebida, mas não conseguia ficar longe; era uma atração muito poderosa. Ainda tinha nos braços a sensação forte e inata de ter embalado Sabekile quando estava no hospital, e queria sentir a maciez da pele da sua filha novamente.

Depois de um mês, Mvelo viu o homem da casa sair de carro e a mulher, com Sabekile em seus braços, despedir-se dele, fechando a porta logo em seguida. Mvelo agiu de forma imprudente. Fora de si, foi direto na porta e bateu. A mulher abriu, segurando Sabekile. "Sim, minha jovem? O que deseja?". Ela fingiu um sorriso, agindo como se não desse importância ao fato de que Mvelo cheirava a lixo e não tomava banho havia pelo menos uma semana.

"Senhora, eu estou com fome. Tem alguma coisa para me dar?". Foi a única coisa em que Mvelo conseguiu pensar, e era a verdade, ainda que não fosse o motivo pelo qual bateu na porta.

"Acho que é melhor te dar uma muda de roupa e deixar você tomar um banho primeiro. Você parece ter passado por maus bocados", a mulher disse, com uma gentileza que nunca saiu dos seus olhos, apesar do odor desagradável que sentia. Deu um sabonete a Mvelo e a levou para um banheiro na parte externa da casa, onde havia um chuveiro. "Pode se lavar aqui, vou trazer uma muda de roupa pra você".

Talvez fosse a gentileza da mulher e o aroma daquele sabonete, o favorito de Mvelo, que lembrava o perfume de sua mãe e que trouxe uma chuva de lágrimas em seus olhos. Ou talvez fosse a imagem de seus seios doloridos e cheios de leite, sem uma criança para mamá-los. Mas debaixo daquela ducha quente e relaxante, chorou todas as lágrimas que tinha guardadas dentro de si.

Um tempo depois, quando Petra entrou no banheiro, encontrou Mvelo de joelhos, subjugada pelo seu sofrimento pessoal. Ela desligou as torneiras e enrolou Mvelo em uma toalha quente e macia, trazendo de volta as memórias do tempo em que era uma criança morando na casa de Sipho com sua mãe, antes que conhecesse qualquer lado da pobreza.

"Vai ficar tudo bem", Petra disse em um tom suave. "Venha aqui em casa conhecer a Princesa Tholakele". Na casa, havia fotos do casal com a sua Sabekile. Mvelo tinha trocado de roupa para uma saia jeans e uma camiseta de algodão vermelha com o logotipo da Coca-Cola estampado nas costas. Petra olhou para ela e sorriu. "Qual o seu nome?", perguntou.

A pergunta trouxe Mvelo de volta para o presente, e ela falou a primeira coisa que veio em sua cabeça. "Meu nome é Dora", disse mentindo. Estava com medo agora, pois sentia que havia se aproximado demais.

"Prazer, Dora. Meu nome é Petra. E esta aqui", apontando para a sorridente Sabekile de Mvelo, "é a minha Princesa Tholekele".

Mvelo olhou fixamente o bebê, atordoada demais para fazer um comentário. Suas bochechas eram redondas, estava com um lindo macacão cor de rosa e era como se fosse a imagem da felicidade. Mvelo agradeceu a Deus por garantir a segurança de sua filha no lar desses gentis estranhos. Petra deu a Mvelo um prato quente de bobotie. Ela odiava passas, mas devorou a comida. Não fazia uma refeição de verdade havia um bom tempo.

Enquanto Mvelo comia, Petra falou-lhe que hoje era um grande dia para ela e o bebê, pois seu marido Johan tinha saído para uma reunião com uma advogada que iria ajudá-los a legalizar o processo de adoção da Princesa. Mvelo ficou aliviada, absorvendo todo o calor humano e a bondade daquele lar enquanto escutava.

Quando se levantou para ir embora, tocou em Sabekile. Teve que fazê-lo. Era uma atração tão forte que causava dor. Durante todo o tempo que esteve lá, lutou para não pegar a criança e agarrar-se a ela gananciosamente. Em vez disso, ela apenas tocou na sua mãozinha, esforçando-se para parecer casual. O bebê agarrou firme sua mão com as duas mãozinhas e tentou colocá-la em sua boca. A senhora riu e disse que ultimamente a Princesa andava colocando tudo na boca. Mvelo agradeceu Petra pela sua gentileza e disse que já estava de saída.

Enquanto estava indo embora, Petra falou-lhe sobre o trabalho que fazia com o marido e deu a ela uma sacola plástica cheia de roupas. Falou que podia perceber que Mvelo passava por uma situação difícil. Era a primeira vez que alguém havia pedido a Mvelo para que não se ofendesse ao receber doações. Foi um sentimento dos mais estranhos. Sentiu-se com uma sensação de aconchego por dentro, bem diferente da mendiga suja que era quando chegou na casa. Voltou a ficar com um nó na garganta.

Ela não conseguia verbalizar um agradecimento, apenas assentiu positivamente e seus olhos se encheram de água. Petra apertou o seu ombro e repetiu que tudo ficaria bem.

Mvelo chorou durante a maior parte daquela noite e do dia seguinte. Não era um choro triste, mas um choro causado por sentir-se saciada no estômago e no peito. Aquele tinha sido um dia estranho.

O canto que vinha da igreja foi absorvido como um sonho pelos ouvidos de Mvelo. Vinha do outro lado da colina, e o vento carregou as vozes até aquele lado da favela. Acordou sobressaltada, com o coração batendo feito um tambor. Correu até o barraco de Cleanman para ter certeza de que não estava escutando vozes. "Cleanman, está ouvindo esse barulho?", perguntou-lhe.

"Minha jovem, eu estou surpreso", ele disse. "Como você diz que pregar o evangelho é barulho? Você e a sua mãe iam seguidamente nos avivamentos do Pastor Nhlengethwa". Mvelo ficou paralisada. Cleanman olhou para ela inquisitivamente. Ele tinha mencionado o nome dele, e isso o ressuscitou mais uma vez. Como pôde fazer isso? Mvelo tinha matado aquele homem em sua mente. Agora, ele estava de volta.

A música parou, e ela caminhou de volta ao seu barraco.

Sentia um peso na cabeça, como se estivesse com gripe. Sentia um gosto metálico em sua boca. Bebeu um copo d'água para tentar tirar aquele gosto. "Todos vocês são filhos de Deus", disse a voz carregada novamente pelo vento. Aquele som enfraqueceu os seus músculos. O único copo que ela tinha havia caído no chão, estilhaçando-se em pedaços. Sua bexiga se afrouxou, aquecendo suas pernas. Começou a suar e sentiu como se o barraco a encurralasse.

"Peço para que os homens nessa tenda se levantem e digam 'Vou proteger a minha irmã'". Sua voz começava a assumir um fervor repleto de retidão. Mal haviam se passado nove meses após despedaçar o mundo de Mvelo, e Nhlengethwa estava de volta, buscando novas vítimas. Ela tremeu e chorou pela raiva incandescente que sentia. "Sejam homens em quem poderão confiar", a voz retornou. "Vocês nasceram para ser protetores, meus irmãos. Venha até Deus e façam a promessa de proteger Seus anjos. Lembre-se do que Ele disse, Deixe que as crianças venham até mim". O fervor em sua voz alcançava níveis arrebatadores, dando a Mvelo a certeza de que o leão tinha localizado sua próxima presa.

Seu sermão convenceu Mvelo de que ela precisava fazer algo. Ele precisava ser contido. Na noite seguinte, ela percorreu o longo caminho até o outro lado da colina. Esperou e observou a tenda se encher de pessoas. A música começou, e lá estava ele, o homem que a violou. As pragas que Mvelo lançou sobre ele não tiveram efeito algum. Estava em frente ao seu púlpito, forte e alto, bem alimentado pelas doações de pessoas desesperadas por salvação. Ao vê-lo, ela se sentiu diminuída e sem saber o que fazer.

Foi então que ela se lembrou do velório de sua mãe no momento em que ele começou a pregar; lembrou-se da forma como as mulheres começavam a cantar sempre que queriam evitar uma declaração pouco apropriada. "Amahlathi, amahlathi aphelile. Akusekho ukucasha. A floresta sumiu, não há onde se esconder", Mvelo começou a cantar com uma convicção que não conseguia sentir. Ele não podia vê--la na escuridão da tenda, mas as luzes estavam sobre ele, tornando-o visível aos seus olhos. A congregação acompanhou a sua canção.

Mvelo caminhou lentamente até a luz. Os anciãos lançaram um olhar incerto sobre ela; não sabiam o que fazer. Assim, ela caminhou livre até a frente, sem ser barrada. Nesse momento, já podia ver em seus olhos que ele a reconhecia.

Despiu seu vestido e a calcinha e ficou parada na frente dele e da congregação, nua como se acabasse de nascer. Antes que alguém pudesse fazer algo, Nhlengethwa desabou como uma tora. Seu coração sujo e atordoado não resistiu. Os homens correram ao seu lado e as mulheres jogaram um cobertor sobre Mvelo, o qual ela pegou para se cobrir.

Ninguém chegou perto dela. Mesmo na igreja, o medo da feitiçaria era forte. Alguns jogaram o sal que mantinham por perto sobre ela, e outros pronunciaram o nome de Jesus para remover os espíritos malignos que supostamente estavam em Mvelo. Ela simplesmente enrolou-se com o cobertor, pegou seu vestido e sua calcinha, e caminhou até a saída, rumo à linda e perfumada noite de Durban. Caminhou em direção ao mar e, quando chegou à praia, sentou-se e escutou as ondas sussurrarem seus segredos a ela.

18

A notícia da morte de Sipho finalmente chegou a Nonceba, pouco tempo depois do falecimento de Zola. As diversas vozes que normalmente a perturbavam estavam se aquietando. O fato de retornar para o continente onde havia nascido a deixou novamente conectada, e os sonhos inquietantes que costumava ter também começaram a diminuir.

Preocupada com a própria cura, Nonceba precisou bloquear completamente os outros pensamentos para se concentrar em encontrar o seu norte novamente. Não havia perdido as esperanças de encontrar seu pai, mas já não estava mais obcecada com isso. Tinha parado de procurar, após ter se consultado com um vidente charlatão que disse que só poderia canalizar o espírito do seu pai se dormisse com ela. Nonceba cuspiu em sua cara sem dizer uma palavra.

Finalmente, todos os caminhos a levaram de volta a Durban, o lugar onde se apaixonou por Sipho e encontrou seu instinto maternal ao cuidar de Mvelo.

Seus pensamentos sobre Mvelo a feriam como um espinho. Sentia-se culpada por não cumprir a promessa que fez a ela, mas no fundo sabia que aquilo era necessário. Para se separar de Sipho, precisava se livrar de tudo que remetia a ele. Uma das razões que a fez voltar para Durban foi seu desejo de fazer um curso de homeopatia na Durban University of Technology.

Finalmente, voltou a visitar os fantasmas do seu passado, e ficou surpresa e arrasada ao ouvir sobre Sipho quando chegou ao seu antigo escritório de advocacia.

A mensagem de Johan em sua caixa postal a fez retornar à advocacia, mesmo que não esperasse voltar a trabalhar com a lei. Havia algo no caso que despertou seu interesse. Ele falou da batalha jurídica com a assistência social, que estava ameaçando retirar a criança do casal, e se lembrou da sua avó que cresceu em um orfanato antes de ter sido adotada.

"Sim, Mbali me contou. Fico feliz de saber que o senhor está tratando a questão com ela", disse ao retornar a ligação. "Se ela confia no senhor, como você disse, ela vai nos dar um tempo até que eu arranje um lugar para ficar nas próximas semanas. Estou certa de que os meus ex-colegas vão me hospedar, e vamos lutar essa briga juntos". Ela tentava se convencer com a mesma intensidade que tentava convencê-lo.

Sentia a adrenalina de outros tempos voltando. A excitação de uma boa batalha jurídica no horizonte a deixou acalorada. Ela estava de volta, trabalhando para quem realmente precisava de sua ajuda.

Ao se sentar sobre o futon no apartamento que alugara, com vista para o mar, releu as notas que havia tomado enquanto falava com Johan. Que triste história de desespero, deixar uma criança na porta de estranhos. Pensou na mãe que abandonara a filha. Sentiu tristeza.

Três semanas depois da ligação de Johan, ela conseguiu convencer os antigos sócios de Sipho a contratá-la para tratar com casos de advocacia pro bono e dar início a um consultório jurídico gratuito como parte do programa de responsabilidade social da empresa. Quando Johan ligou novamente, conforme agendado, ela estava animada, pois voltava à profissão nas condições que havia exigido.

Johan marcou de se encontrar com ela pela manhã, em Florida Road.

19

Apesar de ter sido racional depois que Mbali mencionou o nome de Nonceba, Johan se permitiu nutrir uma pontinha de esperança. Talvez essa mulher pudesse ter algum parentesco com Zimkitha e poderia ajudar ambos a encontrar sua filha. Agendou a reunião com ela e, então, ficou uma pilha de nervos. Petra não conseguia entender, e ele sentiu que finalmente teria que ser franco com ela e dizer o que pensava.

"Por que você não me falou?!", disse, demonstrando animação.

"Não queria criar falsas esperanças, caso nada acontecesse", respondeu com simplicidade.

"Bom, de um jeito ou de outro, vamos logo descobrir. Então é melhor você ir até lá e conferir. Precisamos que essa mulher nos ajude com a Princesa".

Ao pegar as chaves do carro, Johan teve que correr até o banheiro, onde vomitou tudo o que havia em seu estômago.

Em silêncio, Petra estendeu-lhe uma toalha e o encarou por um minuto. Depois, disse: "Eu vou então. Vou me encontrar com ela e digo que você ficou nervoso com a adoção".

"Faria isso por mim?". Lançou a ela um olhar de agradecimento. "Desculpe, Petra. Achei que eu estava pronto, mas não consigo".

"Outra coisa que poderíamos fazer", disse Petra, sempre objetiva, "é irmos juntos, e você poderia ficar em outro lugar e se encontrar com nós duas mais tarde, caso se sinta à vontade".

Eles chegaram cedo. Johan sentou-se no lado oposto à mesa que Petra escolheu e pediu um chá para acalmar os nervos. Nonceba chegou em seu Golf vermelho.

Ao atravessar a rua, vestindo jeans e uma blusa de algodão, ela era a imagem da Zimkitha de todos aqueles anos. Johan teve um sobressalto e queimou a língua no chá. Na sua mente, não havia nenhuma dúvida de que aquela mulher com um grande penteado afro caminhando em direção ao restaurante era a filha de Zimkitha. Suas mãos começaram a tremer. Aquilo era demais para ele. Assim, levantou-se, deixou dinheiro pelo chá sobre a mesa e saiu apressadamente. Petra olhou seu marido e soube na hora. Levantou-se e acenou para Nonceba, chamando-a para a mesa.

Nonceba viu Petra com Princesa Tholakele e foi até elas. "Sra. Steyn?", disse, estendendo sua mão. "Achei que a reunião seria com o seu marido".

"Ele acordou mal do estômago hoje de manhã", ela disse, "e nós não queríamos cancelar. Assim, achei melhor vir com a Princesa e me encontrar com você". Enquanto isso, Petra analisava os traços do rosto que estava à sua frente. Ela tinha a testa de Johan, uma ligeira assimetria nos lábios e uma covinha marcante em seu queixo. Quando Petra lançou um olhar casual para a mesa de Johan, não o encontrou.

"Então, Sra. Steyn, parece que vamos ter uma briga e tanto pela frente". Nonceba se aprontava para a reunião e brincava com as bochechas arredondadas do bebê.

Petra teve que disfarçar o choque que sentiu ao ver a filha do marido olhando para ela.

Conforme a conversa progredia, ela começou a relaxar, e se concentraram no bebê e no caso. Despediram-se com a promessa de brigar até o fim por Princesa Tholakele.

Quando Petra chegou em casa, passou a Johan os detalhes do encontro. Também confirmou que, para ela, não havia dúvida de que Nonceba era sua filha. Compreendeu sua difícil situação, mas também sabia que alguma coisa precisava ser feita. "E se não falarmos nada sobre o que sabemos até o caso ser concluído?", ela sugeriu. Eles concordaram que provavelmente seria a melhor forma de agir.

Depois de concluir a reunião com Petra, Nonceba foi até a favela. Passar tempo com o bebê a fez pensar em suas próprias responsabilidades maternais e começou a se sentir cada vez mais culpada por ter abandonado Mvelo. Precisava procurá-la para ver como ela estava.

Mvelo havia conseguido despistar a maioria das visitas que tentaram ir a seu barraco depois do nascimento do bebê, e agora estava sendo distraída pela morte do Reverendo Nhlengethwa.

Uma parte de si se sentia intranquila. Não era a sua intenção que ele morresse daquele jeito. Queria contar a sua versão da história para a congregação, expor a hipocrisia e as mentiras dele. Estava irritada por não ter tido a chance de fazer isso. Até onde a congregação sabia, ele havia morrido como um santo. Não estava triste pela sua morte, mas perguntava-se a si mesma se era má, como os fiéis estavam dizendo.

Uma batida na porta interrompeu o fluxo de pensamentos que corria em sua mente. "Quem é?", perguntou. Tinha aprendido a nunca abrir a porta para qualquer um que batesse. Era uma porta frágil e precária, que cederia com um pontapé. Mas, estando fechada, ela se sentia bem. Não houve resposta, e ela permaneceu parada. Mas as batidas continuavam.

Cleanman estava observando do seu barraco e foi até a porta.

Mvelo o escutou enquanto ele falava de um jeito agressivo com alguém. Então, ele disse: "Minha jovem, é melhor você abrir a porta pra essa pessoa". Ele tinha uma vaga ideia de quem Nonceba era. Zola dizia que Nonceba havia roubado Sipho dela.

Mvelo abriu lentamente a porta, e lá estava ela. A imagem do bem-estar, parada à sua frente, a deixou com raiva. Mvelo fechou a porta, mandou Nonceba ir à merda e voltar para a América, gritando que ninguém precisava dos seus pacotes aqui. "Pode ficar com aquelas latas de Dr. Pepper e barras de chocolate americanas", berrou, com lágrimas brotando em seus olhos.

"Minha jovem, por favor, isso não é jeito de falar com os mais velhos. Não foi isso que sua mãe ensinou".

"Não se meta, Cleanman. Vá à merda você também e volte pro seu barraco e pare de agir como se fosse meu pai". Estava chorando agora, sentindo-se exposta mais uma vez.

Houve silêncio do lado de fora. Ela espiou por uma rachadura e viu os dois indo ao barraco de Cleanman. Sentiu-se desamparada ao ver Nonceba e Cleanman indo embora. Ela tinha o orgulho da mãe. Queria que implorassem para que abrisse a porta. Sentou-se no assoalho e chorou, enquanto os dois ficaram sentados em frente à porta do barraco de Cleanman, esperando que ela abrisse a porta.

"Onde está a mãe dela?", Nonceba perguntou a Cleanman, que hesitou e não entrou em pormenores sobre o que havia acontecido, dizendo que não estava em posição de contar.

"É melhor você esperar até ela se acalmar, que ela vai poder te contar tudo". Cleanman não tinha ilusões sobre seu papel na vida de Mvelo. Era uma garota que precisava de ajuda, mas que também era capaz de se virar sozinha. Era uma das coisas que Mvelo gostava nele.

Depois de alguns instantes, a conversa entre Cleanman e Nonceba parou. Ela então se levantou e disse: "Isso é ridículo. Vou lá falar com ela, mesmo que eu tenha que derrubar aquela porta". Ela avisou a Mvelo para se afastar, porque ia entrar no barraco, custasse o que custasse. Então, empurrou a porta com todo seu peso até abri-la.

Mvelo estava furiosa demais para olhar em seus olhos. Nonceba era alguém de verdade que ela podia culpar por todos seus infortúnios. Começou a tremer. Toda a raiva de estar sozinha finalmente veio à tona. Então, sentiu alívio. Não estava mais sozinha. Mas a criança que havia dentro dela ainda queria fazer beicinho e birra. Nonceba ficou parada, absorvendo todo o desespero que encontrou naquele barraco. Ajoelhou-se e tomou Mvelo em seus braços, abraçando-a até que não pudesse mais chorar. Ela sussurrou suavemente, como se rezasse, em uma língua que Mvelo não entendia. A vida tinha sido dura para Mvelo. Ela aprendera a ter uma profunda desconfiança dos outros e, agora, tinha medo de confiar em Nonceba.

Foi somente por ter adormecido que Nonceba pôde levá-la ao seu apartamento sem brigas. Dormiu no colo de Nonceba, e Cleanman a carregou até o carro, aliviado por finalmente haver alguém que poderia ajudá-la. Mvelo acordou no apartamento, com Nonceba parada ao lado da cama com um olhar triste. Ela disse que maDlamini lhe contou tudo sobre a gravidez e a perda do bebê.

"Então, quem é o pai? É por isso que você saiu da escola?", Nonceba quis saber.

Mvelo não respondeu. Estavam comendo peixe com batata, sua comida favorita. Nonceba tinha se lembrado. Foi o que Mvelo pensou enquanto devorava o prato, esquecendo completamente seu orgulho próprio.

Nonceba tentou uma abordagem diferente. "Pode me contar o que quiser. Sabe disso, não?". Mvelo simplesmente desceu o olhar para o prato e continuou comendo. "Você deve ter sofrido o diabo. Me contaram sobre sua mãe e Sipho. Dou graças a Deus por ter te encontrado. Você pode ficar aqui comigo agora".

"Não quero ficar aqui, eu preciso voltar pro meu barraco", Mvelo parou de comer e ficou bastante agitada.

"Mas Mvelo, você é muito nova pra morar sozinha", ela tentou argumentar.

"Bom, você não pode me obrigar a ficar aqui. Não pode me obrigar a passar de novo o que eu passei quando minha mãe ficou doente. Vai ter que achar outra pessoa pra cuidar de você. Não posso passar por isso de novo. Não posso", ela estava fora de si.

"Mas o que você está falando? Eu não estou doente, não estou pedindo para você cuidar de mim. Eu quero cuidar de você. Você precisa de alguém para cuidar de você pra variar", Nonceba segurou a mão dela, até que ela se acalmou.

"Você não está doente?", Mvelo perguntou, hesitante. Nonceba sorriu. "Não, eu não estou doente".

"Mas Sipho deixou a minha mãe doente, e outra mulher no escritório dele", ela disse, derramando novas lágrimas.

"Não, não, não, menina. Não estou doente. Podemos ir ao médico e fazer o teste, e você vai ver que não estou doente. Mas agora está tarde. É melhor a gente dormir, e amanhã vamos ver isso".

Mvelo lançou-lhe um olhar demorado e circunspecto. Uma mulher saudável a olhou de volta. Mvelo já havia tido Nonceba como exemplo e queria confiar novamente nela, mas ainda não era capaz disso. Só iria acreditar nela depois de ver o resultado do teste. A única coisa que tinha certeza era de que nunca mais iria cuidar de uma pessoa doente outra vez.

Foram a uma clínica, onde Nonceba fez o teste sob o olhar vigilante de Mvelo. A garota parecia mais aliviada do que Nonceba, que não estava com medo, pois sempre se manteve firme quanto ao uso de camisinhas.

Mvelo tomou sua decisão lá e então resolveu contar a Nonceba que foi estuprada e que Sabekile não havia morrido, mas que tinha sido deixada para uma família que poderia cuidar dela. Nonceba escutou em silêncio e, ao final da história, parecia atordoada. Seu rosto estava petrificado. "Foi minha culpa", disse. "Fui individualista e egoísta depois que eu terminei com Sipho. Eu te abandonei e não cumpri as promessas que fiz pra você. Sinto muito, muito mesmo". Sua voz estava embargada, tomada pela dor.

Os muros de concreto que Mvelo havia erguido ao seu redor vieram abaixo. Suas lágrimas represadas desabaram, e ela chorou pelo que pareceram várias horas.

Foi acordada na manhã seguinte por Nonceba. "Vem", ela disse, e foi de carro ao norte de Durban até chegar a Westbrook Beach, onde alugou uma lancha. O homem olhou para elas de um jeito estranho, surpreso ao ver duas mulheres negras alugando um barco. "Você vai alugar ou não? Nós não temos o dia todo". A impetuosidade de Nonceba estava de volta. Ele deu a elas o que queriam e fez com que assinassem um termo de compromisso para isentá-lo de qualquer responsabilidade, caso algo acontecesse a elas. Vestiram as roupas de neoprene que vinham com a lancha. Nonceba disse para Mvelo se segurar firme e foram para o mar. Quando já estavam longe da costa, onde as ondas eram tranquilas, Nonceba desligou o motor barulhento e deixou o barco flutuar no balanço da maré. Estava tudo absolutamente tranquilo ao seu redor. Até o silêncio entre elas era bem-vindo.

Depois de um tempo, Nonceba disse: "É assim que deveria ser. A natureza quer que a gente fique em paz, segura".

"Certo", ela disse depois que mais alguns minutos se passaram, "você e eu temos que nos livrar dessa feiura toda que temos dentro de nós, e esse é o lugar perfeito pra fazer isso. Ninguém vai nos ouvir ou nos incomodar. Estou tão braba e tão triste pelo que aconteceu com você que não tenho palavras pra expressar. E eu sei que se eu não fizer nada, isso vai acabar me matando. E, se eu estou me sentindo dessa forma, eu sei, com certeza, que você criou uma pedra de gelo no coração. Você é muito nova pra isso. Então, acho que nós devemos simplesmente gritar".

Mvelo foi surpreendida num primeiro momento, mas se lembrou da antiga Nonceba e de suas loucuras que tanto lhe ajudaram quando era mais jovem e se sentia insegura. Assim, decidiu confiar nela. No início, foi relutante, mas ver Nonceba deixar-se levar daquela forma ajudou-lhe a se livrar de suas inibições, e gritou até não ter mais voz. Elas incomodaram a paz do alto-mar.

Então, ela começou a gargalhar. Gargalhou sem parar, incontrolavelmente, até cair sobre o convés, chorando até não ter mais lágrimas, quando foi tomada por uma estranha paz de espírito.

Voltaram para a praia mais tarde naquele dia, inteiras. O homem nojento ficou feliz em ter sua lancha de volta e ver novamente as "belas bundinhas", conforme as chamava. Nonceba estava se sentindo bem demais para discutir com ele.

Voltando a Durban, no carro, Nonceba perguntou a Mvelo: "E o bebê? Sabe alguma coisa sobre ela desde que a deixou na porta da casa?".

"Sim", disse Mvelo. "Visitei a família, fingindo pedir esmola. A mulher da casa me deixou entrar e me deu comida". Mvelo não estava gostando do rumo que a conversa estava tomando. Pensou na polícia. Poderia ser presa e mandada para um reformatório.

"Temos que informar a polícia", Nonceba disse, "e eu poderia me oferecer para adotar você e o bebê. Afinal, você é como uma família pra mim. Aliás, vocês são a única família que eu tenho agora", disse, com tristeza.

"E se eu for presa? Por favor, não vamos fazer isso. Estou envergonhada pelo que eu fiz e a Sabekile está bem onde está. Essa mulher me disse que estão lutando pra ter a guarda dela", Mvelo implorou.

"Espera aí, você sabe o nome da mulher que ficou com a sua criança?", Nonceba perguntou.

"Sim", Mvelo disse, confusa com a pergunta e tentando relembrar o nome. "Acho que era Peta, ou Patricia, algo assim".

"Não é Petra?", Nonceba estava ficando animada.

"Sim, acho que é isso, Petra", Mvelo disse. Nonceba sorriu. Precisava fazer uma ligação.

Foi Johan quem atendeu o telefone.

"Alô, Sr. Steyn, aqui é Nonceba. Aconteceram reviravoltas no seu caso e acho que devemos nos encontrar o quanto antes. Não é algo que eu possa falar pelo telefone. Pode ser no mesmo lugar onde encontrei sua esposa, amanhã de manhã?".

Johan sentiu seu estômago embrulhar. "O que foi? Você parece preocupado", disse Petra quando ele colocou o telefone de volta no gancho.

"Eu não sei. Nonceba quer se encontrar conosco. Disse que há reviravoltas no caso". Desde a chegada deste bebê, era como se suas vidas estivessem de ponta-cabeça, o que o deixava exausto e lembrava-lhe dos seus antigos erros, que preferia esquecer.

"Posso me encontrar com ela sozinha de novo se você não se sentir pronto", Petra sugeriu.

"Olha, Petra, eu não posso fugir pra sempre. Em algum momento vou ter que ir até lá e falar com ela. Se nós esperarmos até o fim do caso, vai ser outro desengano, o que pode fazer com que ela fique ainda mais braba. Eu vou com você e, se eu me sentir forte o bastante, vou contar a ela quem eu sou".

Na manhã seguinte, foram todos para o carro: Johan, Petra e a bebê Princesa.

Do outro lado da cidade, em Morningside, onde haviam se mudado do apartamento para uma pequena casa com espaço suficiente para as duas, Nonceba precisou se esforçar muito para convencer Mvelo a se encontrar com aquelas pessoas para ver se era o casal que ficou com seu bebê. "Posso estar errada, mas, se eu não estiver, podemos lutar por Sabekile", ela disse. A única coisa que deixou Mvelo feliz foi o fato de Nonceba ter concordado em não informar a polícia. Assim, arrumaram-se e foram a pé da sua casa até o café.

"É ela, é a mulher, é ela", Mvelo disse ao se aproximarem, apertando forte a mão de Nonceba. "Por favor, vamos embora, ela vai me reconhecer", disse, puxando sua mão.

"Mas, Mvelo, você não vê como isto é bom? Você vai ter seu bebê de volta e vamos poder ser uma família. Não é isso que você quer?".

Mvelo queria. Queria no fundo do seu coração, mas não podia encarar a mulher e dizer a ela que estava pegando o bebê de volta. Ela havia sido tão bondosa com ela e, agora, Mvelo estava prestes a partir seu coração. Era tarde demais para voltar, no entanto. Eles já as tinham visto.

Petra parecia confusa. "Eu te conheço. Você veio em minha casa outro dia", disse, enquanto Nonceba e Mvelo se sentavam. Mvelo sentiu um frio na barriga e seu estômago começava a se revirar.

Nonceba explicou sobre Sipho e sua relação com Mvelo. Quando chegou na parte sobre Mvelo ter abandonado o bebê, Petra não conseguiu segurar as lágrimas. "Eu sabia", ela disse. "Eu vi que você era a mãe. E agora? Como vamos lidar com isso?". Ela segurava Princesa Tholakele firmemente.

Johan ficou sentado em silêncio, estático como uma pedra. Evitou olhar para Petra porque seu choro era doloroso para ele. Mvelo não conseguia olhar para ninguém na mesa. Estava muito envergonhada pelo seu papel na confusão.

Um silêncio constrangedor se instaurou quando a verdade veio à tona: Zola e Mvelo queriam o bebê de volta.

Finalmente, Johan não pôde mais suportar. Sentia que estava sendo punido pelos seus pecados, e que Petra não merecia isso. "Eu conheci uma moça chamada Zimkitha Hlathi", ele disparou. "Ela foi jogada na cadeia por me beijar em público, mas, naquela hora, já era tarde demais, porque ela estava grávida da minha filha", falou rapidamente antes que perdesse a coragem. Um silêncio de perplexidade pairou no ar.

Johan tirou do bolso de sua jaqueta uma foto de uma mulher que era a imagem de Nonceba, apenas um pouco mais escura e com caracóis levemente mais encrespados no cabelo. Nonceba não conseguia se lembrar da sua mãe pessoalmente, mas tinha visto fotos dela. A foto que Johan segurava mostrava com certeza a sua mãe. Nonceba olhou o retrato, olhou para seu pai e pôs-se a chorar.

Petra se levantou com Princesa e pediu a Mvelo para acompanhá-la a fim de deixar Johan e Nonceba a sós por um momento. Mvelo estava atônita demais para dizer qualquer coisa e seguiu Petra até outra mesa. Sentaram-se lá, assustadas demais para conversarem.

Petra embalava Princesa e brincava com ela. Ao assistir, Mvelo tomou sua decisão. Estava entregando Sabekile a ela. Rezara para que seu bebê tivesse um bom lar, e sua prece foi atendida. Se essa mulher permitisse que ela participasse da vida do bebê, deixando-a visitar quando desejasse, Mvelo permitiria a adoção de Sabekile.

Por mais que Mvelo estivesse feliz agora, Nonceba já havia a abandonado no passado. O que a impediria de fazer isso novamente? E o que Mvelo faria então? Como iria cuidar de Sabekile? Não queria que sua filha passasse um dia sequer com fome. "É com você que ela deve ficar", Mvelo disse a Petra. "Se me deixar visitá-la, ela pode ficar com você".

Petra chorou, e Mvelo pegou o bebê dos seus braços e a segurou. Absorveu intensamente aquela sensação quente e macia e o seu cheiro de leite. Sentiu um imenso amor pela sua filha.

Os garçons do local ficaram surpresos com a clara comoção que se desenrolava diante de seus olhos. Johan ficou plantado na sua cadeira, assustado demais para se mexer.

"Eu já tinha desistido. Procurei por toda parte, até que finalmente desisti", disse Nonceba, com um nó na garganta causado pela emoção. Ela deu as mãos para Johan, estendendo-as ao outro lado da mesa. Era mais do que ele havia esperado.

"Ela foi a mulher mais linda que eu já vi", Johan disse. "Eu a amava, mas fui covarde".

Nonceba olhou para a foto. "Me conte sobre ela", ela disse. "Quero ouvir de você. Minha avó disse o que sabia, mas ela não sabia muita coisa sobre a vida dela em Hillbrow".

Era por volta de seis da tarde quando saíram de lá, todos completamente esgotados. Ainda não haviam discutido nenhum detalhe sobre a adoção. Assim, planejaram se reunir novamente em Manor Gardens, na casa de Johan e Petra.

Johan ficou aliviado com o fato de Nonceba não tê-lo rejeitado. Os olhos ardentes de Zimkitha foram substituídos pelos olhos amáveis da filha. Ela concluiu que havia sido levada de volta para Durban para que pudesse terminar sua busca.

Johan e Petra não conseguiam acreditar nas bênçãos que receberam. Primeiro haviam encontrado um bebê que precisava dos seus cuidados. Então, a filha que andavam procurando para cima e para baixo, e uma adolescente que havia escolhido a casa deles para servir de lar ao seu bebê. Quando Mvelo contou a Nonceba sobre sua decisão de deixar Petra e Johan ficarem com o bebê, Nonceba lembrou-lhe de que ainda precisariam enfrentar os tribunais.

Mvelo caiu no sono, com a cabeça rodopiando.

21

Era visível a tensão na corte depois que boatos se espalharam sobre uma mãe menor de idade que confessara ter abandonado o bebê na residência do casal Steyn. Cleanman estava lá, e vários outros moradores da favela foram dar apoio ao médico bondoso e sua esposa que tratou de vários deles até ficarem curados. Alguns ameaçaram protestar caso o Estado decidisse levar o bebê embora. "Sizobhosha la enkantolo. Vamos cagar bem aqui no tribunal!", gritaram, ameaçando do lado de fora. Dentro do tribunal, a magistrada precisou bater o martelo algumas vezes e pedir ordem para silenciar o acalorado vozerio.

Petra, Johan e Princesa Sabekile estavam na frente com Nonceba e Cleanman: todas as pessoas que Mvelo considerava como sua família. Os moradores dos barracos os acompanharam ao longo do caso. Mvelo ficou agradecida pela rede de amor e de solidariedade que parecia se estender diante de seus olhos.

Depois de muitas idas e vindas, ficou claro que os advogados do Estado não tinham como sustentar sua defesa. Mvelo não tinha condições de cuidar da criança. Ela insistiu que compreendia perfeitamente o que estava dizendo quando afirmou que o casal Steyn eram os pais adotivos de sua preferência para a filha. O fato de se arriscar a ser pega por ter vigiado a casa contou em seu favor, como uma evidência de que não era um animal desalmado que simplesmente abandonara o bebê.

Quando Nonceba foi questionada sobre sua guarda autodeclarada de Mvelo, afirmou que havia sido a companheira de Sipho, sendo assim sua madrasta de fato. Mvelo ficou sentada, assistindo aos procedimentos em uma tela. Seu nervosismo transformou-se em entusiasmo quando Nonceba começou a dar mostras de que estava vencendo o julgamento. Foram necessárias algumas sessões até que a sentença fosse finalmente divulgada e os Steyns foram declarados como os pais adotivos de Sabekile.

Mvelo concordou em voltar para a escola no ano seguinte, repetindo a série em que estava antes de abandonar os estudos. Nonceba insistiu para que ela voltasse à sua antiga escola e enfrentasse os boatos de que havia abandonado sua filha. Disse que era a única maneira de Mvelo recuperar a autoestima sem se sentir constrangida pelo que havia acontecido.

Quando o ano escolar começou, Mvelo ficou pensando em como poderia superar aquilo. Mesmo que estivesse próxima dos dezesseis anos, se sentia muito mais velha agora. E não estava preparada para enfrentar as encaradas e os olhares enviesados que recebia, principalmente de professores e professoras. Suas velhas amigas estavam em séries mais adiantadas. Mas disse a si mesma que iria apenas manter o foco nos estudos.

Depois da escola, passava a maior parte do tempo em Manor Gardens. A primeira palavra de Sabekile foi "Mama", e disse olhando para Mvelo, que quase desmaiou de emoção. Olhou para Petra, que fez um gesto afirmativo com a cabeça, sorrindo. Mvelo apertou o corpinho de Sabekile tão firme que ela se contorceu sob o seu peso.

Enquanto brincavam com Sabekile uma noite, Petra disse a Mvelo: "Eu soube no primeiro dia você veio aqui que você era a mãe dela. Mas, agora, conforme ela vai crescendo, não há nenhuma dúvida de que ela é sua filha".

Mvelo achou que o bebê se parecia com sua mãe e sentiu uma pontada de tristeza por Zola não ter tido a oportunidade de conhecê-la.

22

Nonceba tinha uma extensa rede de amigos e gostava de recebê-los em sua casa. Mvelo normalmente se sentia um pouco deslocada nesses encontros; isto até ter sua primeira paixão. Ele tinha em torno de vinte e cinco anos, e ela tinha apenas vinte e estava fazendo as provas de conclusão do ensino médio. Mas ele a fazia se sentir como uma mulher, não como uma colegial.

"Sisi Nonceba, você nunca me disse que tinha uma irmã tão bonita assim", ele disse, ao fazer um galanteio para Mvelo, tomando sua mão e a beijando. Foi surpreendida pela sensação dos lábios dele tocando sua mão e agradeceu a Deus por ter a pele escura, o que impedia que ele a visse corar.

"Qual é o seu nome, linda?", ele perguntou, olhando para ela com seus grandes e alegres olhos.

"Mvelo", ela disse, observando-o com atenção, tentando entender o seu jogo.

"Um lindo nome para uma linda mulher", disse, e ela sorriu timidamente. "Muito prazer. Meu nome é Cetshwayo Jama KaZulu", disse orgulhosamente. "Eu trabalhei com a sua irmã quando era estagiário. Ela tirava o couro da gente, mas nós gostávamos muito dela".

Nonceba divertia-se assistindo a esse espetáculo. Ela não o corrigiu quando ele disse que eram irmãs, o que deixou Mvelo contente.

Enquanto outros na festa discutiam assuntos cansativos, como os rumos da democracia, Cetshwayo sentou-se ao lado de Mvelo e perguntou quais eram os seus planos depois de se formar. Nenhum homem jamais havia demonstrado interesse pela sua vida desse jeito, querendo saber o que ela pensava e o que pretendia fazer no futuro. Quando foi ver, estava conversando naturalmente com ele.

"Eu queria ter uma carreira musical", ela disse, colocando o seu sonho pela primeira vez em palavras.

Ele falou sobre seu amor pelo Direito e como ainda era preciso mudar muita coisa. Mvelo pensou que, não fosse pelo trabalho dos advogados, ela poderia ter perdido Sabekile. Sentiu-se inspirada pelo seu entusiasmo.

Começaram a namorar, com permissão de Nonceba, é claro. Ele a apresentou a um mundo inteiramente novo: palestras na universidade sobre a Renascença Africana e saraus de poesia e literatura. Mvelo não entendia uma parte daquilo, mas isso não importava, pois eram coisas que ela gostava de fazer com Cetshwayo. Algumas apresentações simplesmente despertavam-lhe sentimentos. Ela não precisava compreender, pois sentia em suas veias.

Houve uma noite em que Cetshwayo levantou-se para ler. As palavras eram tão belas. Mvelo começou a cantar uma melodia suave junto com ele. Ele pareceu surpreso, mas sorriu e continuou a ler. Estavam em perfeita sintonia.

Voltaram quietos no caminho de casa, entendendo que algo havia mudado. Quando ele a deixou em casa, beijou sua bochecha. Era o segundo beijo que trocavam.

Foi somente após ela ter passado nas provas para obter o certificado de conclusão do ensino médio que Cetshwayo disse que sabia pelo que ela tinha passado. Nonceba o tinha chamado para uma conversa, ameaçando arrancar fora sua masculinidade se ele alguma vez machucasse Mvelo. "Eu sabia que você ia conseguir", ele disse. E então ele a beijou novamente, dessa vez nos lábios.

Sabekile era agora uma garotinha e continuou trazendo grande felicidade a Mvelo. Adorava cantar, em sua estranha mistura de zulu, inglês, africâner e xhosa, e exigia que Mvelo também cantasse junto com ela. Em um dia chuvoso de verão em Durban, ela correu para fora com seus bracinhos abertos e disse: "Olha, mamãe, os beijos de Deus". Isso deu um nó na garganta de Mvelo, pois fez com que se lembrasse de sua mãe. Era o tipo da coisa que Zola teria dito. Ela foi ao encontro de Sabekile com os braços abertos, rodopiando na chuva.

Depois de concluir o ensino médio, Mvelo se matriculou na Universidade de KwaZulu-Natal para estudar jornalismo. Embora ela desejasse seguir o seu sonho de cantar profissionalmente, Nonceba a convencera de estudar também algo mais prático, para que pudesse ter sempre um sustento. Quando voltaram para casa depois da matrícula, Nonceba iniciou um de seus longos discursos, falando sobre o quanto se orgulhava de Mvelo. Ela a abraçou e não a soltou até que Mvelo sentiu o corpo de Nonceba tremer.

Mvelo afastou-se e viu que Nonceba chorava. Ficou confusa. "O que foi?", perguntou. "Bom, eu tenho notícias para te dar e acho que você não vai gostar de ouvir. Vou voltar para os Estados Unidos para fazer alguns estudos em uma das reservas indígenas do país. Vou ficar três meses lá, mas prometo que vou voltar".

Mvelo podia ver que Nonceba estava receosa de que ela não fosse aceitar, mas agora tinha uma família. Sabia que não estaria mais sozinha.

Ela e Cetshwayo levaram Nonceba até o aeroporto e lhe desejaram boa viagem. "Igual a essa, não tem ninguém", Cetshwayo disse, enquanto abanavam para ela.

"Não tem mesmo", Mvelo respondeu, finalmente percebendo que Nonceba também estava sentindo o magnetismo dos seus outros ancestrais.

"Então, quando é que eu vou poder te apresentar para a minha mãe?", Cetshwayo perguntou um dia, do nada. Mvelo tinha passado da paixão para um amor tranquilo e confortável. Haviam trocado beijos apaixonados, mas na hora de ir mais longe, ela sempre parava. O fantasma de Nhlengethwa pairava sobre eles. Cetshwayo sempre a impediu de se desculpar. "Não é culpa sua, eu sei, é aquele safado que abusou de você", dizia, tentando tranquilizá-la, sentindo-se frustrado, mas sem ter alguém para desabafar.

"Bom", Mvelo disse, "antes de fazermos planos, talvez você devesse fazer uma visita a uma clínica e depois me apresentar à sua mãe".

Mvelo tinha se tornado muito sábia em seus vinte anos de idade, e sabia que, independentemente do que acontecesse em sua vida, teria a força necessária para superar.

*Obrigada à Modjaji Books e à Dublinense
por dar a esta história a chance de ser contada.*

Descubra a sua próxima
leitura em nossa loja online

dublinense .COM.BR

Composto em ARNO PRO e impresso na EDIGRÁFICA,
em IVORY 80g/m², em JANEIRO de 2021.